PAC E MIKE

com Gustavo Magnani

GERAÇÃO
jovem

Copyright © 2016 by Geração Editorial

5ª reimpressão — Junho de 2017

Grafia atualizada segundo o Acordo Ortográfico da Língua Portuguesa
de 1990, que entrou em vigor no Brasil em 2009

Editor e Publisher
LUIZ FERNANDO EMEDIATO

Diretora Editorial
FERNANDA EMEDIATO

Assistente Editorial
ADRIANA CARVALHO

Design de Capa, Projeto Gráfico e Diagramação
ALAN MAIA

Ilustração de Capa
ESTÚDIOMIL

Ilustrações
VOXER CREATIONS

Preparação
SANDRA MARTHA DOLINSKY

Revisão
JOSIAS A. DE ANDRADE

DADOS INTERNACIONAIS DE CATALOGAÇÃO NA PUBLICAÇÃO (CIP)
(Câmara Brasileira do Livro, SP, Brasil)

Rodrigues, Mikhael Línnyker F.
      Herobrine : a lenda / Mikhael Línnyker F.
Rodrigues, Tarik Felipe A. Pacanhan, com Gustavo
Magnani. -- São Paulo : Geração Editorial, 2016.

      ISBN 978-85-8130-343-7

      1. Ficção juvenil I. Pacanhan, Tarik Felipe A..
II. Magnani, Gustavo III. Título.

16-00567   CDD: 028.5

Índices para catálogo sistemático

1. Ficção : Literatura juvenil   028.5

GERAÇÃO EDITORIAL
Rua João Pereira, 81 - Lapa
CEP: 05074-070 - São Paulo - SP
Telefone: (+ 55 11) 3256-4444
E-mail: geracaoeditorial@geracaoeditorial.com.br
www.geracaoeditorial.com.br

Impresso no Brasil
Printed in Brazil

Esta história não oficial de Minecraft é um trabalho original de *fanfiction*, não
sancionado nem aprovado pelos responsáveis pelo jogo Minecraft.
Minecraft é uma marca registrada e de direitos autorais da Mojang AB, que não
patrocina, autoriza ou endossa este livro. Todos os personagens, nomes, lugares
e outros aspectos do jogo descritos nesta obra são marcas registradas e,
portanto, propriedades de seus respectivos donos.

Gostaríamos de agradecer a todas as pessoas envolvidas no desenvolvimento da série *Herobrine — A Lenda*. No total, foram cinco anos de produção; e se não fossem nossos amigos, familiares e principalmente os inscritos, nada disso seria possível. E também não poderíamos deixar de agradecer ao Gutin, que nos ajudou em cada etapa do canal. Esperamos que todos se divirtam bastante lendo o livro. Mais uma vez obrigados e boa diversão! :D

Pac e Mike

PRÓLOGO

Quando você viajar com seus amigos ou com sua família e, por acaso, passar perto de uma vila misteriosa e abandonada, com séculos de existência, onde tudo é velho, sujo e tem cara de amaldiçoado, faça um favor a si mesmo e àqueles que ama: não entre.

A não ser que tenha um motivo irrefutável, como salvar a princesa — ou o príncipe —, tire umas fotos de longe, dê meia-volta, entre no seu carro e despeça-se desse lugar o mais rápido possível.

É o mais inteligente a fazer.

Uma pena, porém, que Michael, Daniel e Carol não conheciam meus conselhos, e ao saírem da cidade para uma curta viagem de fim de semana, estacionaram naquele lugar que representa tudo do que deveriam fugir.

— *Deixe de ser medroso, Daniel!* — *disse Carol com certo desgosto na voz.*

Ela se achava superior a tudo aquilo. Pegou sua câmera, abriu a porta do carro e se encontrou com Michael na frente do veículo. Sentiu uma brisa leve, que fez arrepiar os pelos do seu corpo. Sorriu para o namorado e comentou que a lua estava linda. Ele concordou, mas respondeu:

— *Não tão linda quanto você!*

— *Arg!* — *disse Daniel.*

Daniel não tinha o menor saco para essa babação amorosa. Também saiu do carro.

— *Parem com isso, né? Era só o que faltava... vamos entrar logo para ir embora logo.*

Os namorados riram, tiraram uma selfie, *e assim como o amigo, deixaram os celulares no carro. Não havia sinal. Andaram alguns metros, até que encontraram a porta de entrada. O lugar era protegido por algum tipo de fundação cultural, que deveria preservar aquilo ali. Mas, hum... o trabalho não estava sendo muito benfeito, não.*

A entrada era protegida por um muro de madeira, daqueles que se usam em fazendas para cercar os animais, nos quais a madeira é colocada lateralmente. Um apoio e tanto para os pés de quem quisesse pular.

Carol havia visto na internet que o último guarda pedira demissão nesse dia mesmo e que ninguém quisera assumir o lugar dele de imediato. Por isso, sugerira o passeio. É claro que ela só contara isso ao namorado. Se Daniel soubesse, nem teria entrado no carro.

Pularam o muro e viram que o lugar era muito mais esquisito do que parecia pela internet. Seis casas e uma construção que parecia uma igreja ainda estavam em pé. Por enquanto... cair era só uma questão de tempo. Todas tinham buracos e aberturas por onde qualquer um poderia passar. A madeira das paredes estava podre, de tanto sol, chuva e descaso.

Carol parou de contar quando viu o sexto rato, justamente porque ele passou pelos pés de Daniel, que gritou como se houvesse visto um fantasma. Os namorados gargalharam e caminharam até uma fonte antiga no meio da vila. Não havia água nem sinal de ter passado por uma limpeza nos últimos cem anos.

Só a lua e uma lanterna que Michael levara iluminavam o lugar. Não ver as coisas com nitidez começou a deixar Carol um tanto nervosa. Ela sentia a brisa de uma forma estranha, como se a abraçasse, e a cada abraço apertasse um pouco mais. Começou a sentir que lhe faltava ar.

— Cá! Acorde! Tudo bem aí? — perguntou Michael.

Ela balançou a cabeça, brava consigo mesma por descobrir que era tão medrosa quanto o cagão do Daniel.

— É ali a tal mina que eles fazem tanta propaganda — disse Carol, e foi em direção à única construção de pedra, que ficava já no final do vilarejo.

— Esqueça! Eu não vou entrar aí.

— Mano — retrucou Michael —, ou você entra ou volta para casa a pé.

Daniel coçou a cabeça, fechou os olhos, passou as mãos suadas pelo rosto. Ele sabia que o amigo falava sério. Nunca esqueceu o dia em que, no parque, dissera que ia ao banheiro e que Michael respondera que se ele fosse, voltaria sozinho, porque ninguém o esperaria. E quando chegara ao estacionamento, lá estava... ou melhor, lá não estavam.

Daniel detestava Michael. Só o aturava por causa de Carol. Tremendo de medo, coçou os olhos e seguiu a amiga, que já entrava na mina. Não enxergavam nada! Nem dois metros à frente. O caminho estreito só permitia uma pessoa por vez, e a descida íngreme quase fez que caíssem. Precisavam se apoiar nas paredes. Daniel sentiu

um braço o empurrando, e só então viu que Michael dera-lhe um "chega pra lá" e iluminara o caminho para Carol.

Terminaram a descida, e o que era escuro virou um breu completo. Dentro da mina era impossível ver com clareza a palma da própria mão. Daniel procurou o celular, mas lembrou que o deixara no carro.

O vento, que chegava mais forte do que poderiam imaginar, circulava os pés deles e dava a impressão de que algo os tocava.

Não havia nada ali, concluíram, quando Michael iluminou o chão.

— Qual é a graça de vir aqui? — perguntou Daniel, mordendo os próprios lábios.

Nunca sentira tanto medo na vida.

— Esse seu amigo é um chorão hein, amor.

— Não fale assim dele... ele só tem medinho... BU! — gritou Carol.

Daniel perdeu tanto o raciocínio, que cambaleou e caiu de costas. Sentiu-se humilhado pela melhor amiga e pela própria falta de coragem. Quis cancelar toda a viagem, voltar para casa, mesmo que fosse a pé, e passar o fim de semana inteiro vendo uma maratona de Arrow. Seu corpo não só tremia inteiro, como também coçava... alguma alergia. Respirou fundo, levantou-se e tateou em direção à saída.

— Aonde você vai, Dani? Foi só uma brincadeira, desculpe… — pediu Carol. — Sério, desculpe…

Sem resposta.

Foi o silêncio mais longo e estranho que Carol já presenciara.

— Daniel?

— Pô, cara, responda! — exigiu Michael.

Ele procurou por Daniel com a lanterna e o encontrou na beira da escada, de joelhos, com os braços caídos, cabeça para cima, olhos e boca mais abertos do que julgara ser possível. Pelo menos Michael morreria tendo visto a expressão do maior e mais completo desespero.

Daniel sentia seus membros rígidos, não conseguia se mover normalmente. Sua visão começou a embaçar, sentiu a cabeça balançar de um lado para outro, como um pêndulo que não tem como escapar. Se sobrevivesse, jamais esqueceria o que havia visto.

Dois grandes olhos brancos, cintilando na escuridão.

CAPÍTULO 1

Eu estava deitado no banco do pátio da escola; o sol batia em meu rosto, e por mais estranho que possa parecer, era gostoso. Sempre passara horas dentro do laboratório; um pouco de melanina seria útil.

Eu era o único aluno da turma que já havia terminado a prova de poções. Não entendia como o resto da galera tinha tanta dificuldade para fazer uma poção de agilidade (ela deixava o sujeito bem, hum... superligado). Era simples: bastava um fungo de *nether* e açúcar. Fazer uma mistura base com o fungo, aquecer a 315 graus Kelvin, inclinar a vasilha a 45 graus, retirar as sobras e acrescentar açúcar. Pronto.

PAC E MINE

Poucas coisas na vida eram mais fáceis...

Ainda assim, meus três melhores amigos estavam na sala fazendo a prova. Peter devia estar chorando de medo de uma nota baixa, querendo só jogar lolzin. Victor, certeza, devia estar atirando os olhos para todos os lados em busca de alguma cola. E João, ah, não há como falar mal do João... certeza que ele estava fazendo o melhor.

E eu? Bem, olhando o todo, eu sonhava ser cientista e realizar as maiores descobertas do mundo Mine. A alquimia começava a se tornar valorizada por aqui e eu tinha boas chances de me dar bem. Por mais que minha mãe gostasse de pegar no meu pé por, às vezes, ficar o dia inteiro na internet.

— Ei, Felipe, seu filho de uma mãe — Victor chegou gritando de longe —, obrigado pela cola que você não me passou.

Ele se jogou no banco, em cima das minhas pernas. Esse era Victor: sempre muito carinhoso... Reclamei de dor e sentei, para evitar que mais alguém pulasse em cima de mim.

Peter vinha logo atrás, com aquela maldita camiseta do Homem-Aranha. O moço nem tirou os olhos do celular e se espremeu na ponta do banco. João estendeu a mão e sentou no chão. Ninguém havia se cumprimentado direito no começo do dia, quando chegamos

à escola. Todos estavam tensos demais. O professor Aurélio adorava chegar cedo na sala para contar suas façanhas com os experimentos.

— Na boa, Peter, a gente já lhe avisou... — comecei.

— Esqueça, mano, eu falei isso agora — cortou Victor.

— Ah, me deixe...

— Peter, de verdade... nada contra... mas parece que você está usando um sutiã por cima da blusa — ponderou João.

— NÃO É UM SUTIÃ! — retrucou Peter, largando o celular. — Eu já falei que são...

Nós o interrompemos e falamos juntos:

— Os olhos do Homem-Aranha... HAHAHAHA!

Peter fez sua cara feia de sempre: nariz torcido, sobrancelhas erguidas e bico ridículo.

— E você, Felipe, parece o Garfield, de tão preguiçoso!

— O quê? Garfield? Que referência é essa? — perguntei.

— Os pais dele cortaram o Deadpool... e agora só mandam quadrinhos educativos ou recreativos — respondeu João, segurando o riso.

Eu franzi a sobrancelha, não entendi nada.

— Ele não lhe contou? — perguntou Victor, e nem esperou a resposta para completar. — Essa anta ia mandar uma mensagem no nosso grupo, com uma foto de uma cena do Deadpool estraçalhando uns caras e um monte de xingamentos. Fale onde você mandou isso, Peter.

— No... no grupo da minha família...
HAHAHAHAHAHAHAHAHA!
— N-Ã-O A-C-R-E-D-I-T-O! — gritei.

Vou dizer uma coisa: parar de rir foi muito mais difícil que terminar aquela prova de poções. Só conseguimos mesmo quando, de repente, com uma expressão séria e voz um tanto quanto vacilante, João nos chamou a atenção:

— Moços, vocês viram isso?

"Jovens são encontrados mortos em vilarejo histórico próximo à cidade."

— Isso aí não foi onde a gente fez aquela aposta? — perguntou Peter.

— Sim, foi lá. Duas semanas atrás?

— Ei, Felipe, seu Zé, você tem os vídeos. Pegue aí no seu celular, vamos ver.

Peguei meu celular, digitei a senha 4242 e abri o vídeo:

Os quatro estavam atrás da pequena construção de pedra que dava acesso a uma antiga mina. A entrada

era proibida. Mais cedo, quando passaram por ali com a turma, o professor Aurélio dissera que o local era amaldiçoado e imitara uma risada maléfica péssima, que não fizera ninguém rir. Depois, seguiram para um tipo de igreja malcuidada e com uns símbolos estranhos na parede, onde uma mulher, que trabalhava lá, contara a história do vilarejo.

Aurélio, mais empolgado que qualquer um dos alunos, erguera a mão e perguntara sobre uma lenda antiga e misteriosa. A mulher, mascando um chiclete que parecia ocupar toda a sua boca, fizera beicinho, balançara a cabeça em negativa e ignorara a pergunta do professor. Depois disso, todos foram liberados para lanchar.

— Não, não, vocês vão... eu fico aqui, não desço lá nem por Aslam — disse Peter olhando para Felipe, que filmava tudo.

— Deixe de ser Zé, Peter — reclamou Victor.

João fez um sinal de calma e interveio:

— Peter, temos que ir todos juntos... Somos amigos em todas as horas.

Felipe, curioso como qualquer cientista (ou melhor, protótipo de cientista), já estava sem paciência, porque o intervalo era curto. Faltou pouco para não arrastar o amigo pela camiseta do Homem-Aranha que Peter nunca tirava do corpo. Mas respirou fundo, acalmou-se e disse:

— Seguinte, moço. Uma aposta. Se você entrar e fizer tudo sem reclamar, eu lhe dou meu Han Solo, aquele que você ama.

— O Han Solo?!

O brilho dos olhos de Peter denunciou que a aposta estava aceita.

— Caramba, até eu queria — disse Victor, indignado.

Com cuidado para que ninguém os observasse, os quatro entraram no lugar proibido.

De início, sentiram uma leve penumbra pelas escadarias lisas e malfeitas. Cair ali seria facinho. E foi o que aconteceu com Peter: um tombo que o fez rolar alguns degraus e reclamar como se houvesse caído do terceiro andar de um prédio.

Victor tampou a boca de Peter e João checou para ver se tinha algum machucado. Só uns ralados no braço, nada demais. Nada demais... tudo era demais para alguém como Peter, que só não chorou porque sentiria mais vergonha que dor.

— Tudo bem, Peter? — perguntou Felipe.

Com uma má vontade que só aquele fã do Homem-Aranha poderia ter, ele respondeu:

— Eu não vou morrer antes de colocar as mãos naquele Han Solo!

O celular quase caiu das mãos de Felipe de tanto que todos riram com aquela mistura de moleque mimado, marrento e determinado. Ajudaram-no a levantar e seguiram até o salão.

O lugar era mal iluminado, mas havia algumas luzes espalhadas. E, uau! As paredes e pisos eram de pedra bruta; tinham uma dimensão estranha, como se houvessem sido amassadas, destruídas por dentro. À frente de onde estavam, duas mesas de cada lado com inscrições e desenhos estranhos.

— Isso... isso é ouro — disse Felipe.

Ele percebeu o choque dos três amigos. Felipe sempre fora um tipo de líder para o grupo, e apesar de todas as brincadeiras, sua opinião era sempre considerada como verdadeira.

Ao se aproximar das mesas, ele direcionou a câmera para a parede e descobriu uma espécie de tumba decorada com pedras brancas e brilhantes, cheia de ilustrações que pareciam simular um poder ancestral, algo inimaginável para o mundo em que viviam.

— Sério, gente, vamos embora, por favor! — pediu Peter, que mal conseguia falar direito.

Entre uma palavra e outra, soltava um gemido esquisito e constrangedor.

Os outros dois amigos se aproximaram da tumba.

— Vamos abrir?!? — questionou Victor, com certa dúvida na voz, querendo se certificar de que não fariam nada do tipo.

Ninguém estava lá muito confiante. Peter andava para trás, afastando-se o máximo que podia. João permaneceu em silêncio, sem deixar claro o que pensava.

— Sim! — decretou Felipe. — Vou filmar tudo, e se acontecer alguma coisa, podemos ficar famosos, sair na tevê, quem sabe até escrever um livro, fazer um filme sobre essa caverna. Vamos abrir, sim.

— Tem certeza? — perguntou João. — A gente não sabe o que é isso, Felipe... Todos esses desenhos... Sei lá, acho meio idiota abrir isso.

— Por favor, moço, não... beleza, eu entendo que vocês estão com medo, mas isso pode ser uma história para contarmos o resto da vida, um livro para escrevermos. E outra: com todo o respeito, você é inteligente demais para acreditar nessas besteiras, João. Não existe nenhuma evidência científica para termos medo disso!

— Você nunca assistiu *Invocação do mal*, né? Nem tudo é ciência, Felipe — retrucou Peter, mais irritado do que os outros poderiam prever.

Felipe respirou fundo, colocou as mãos na cintura e pediu desculpas pelo jeito como havia falado.

— Eu nunca fiz nada na minha vida que me fizesse falar "Uau, veja isso!". Cansei de só fazer coisa babaca! Por favor, vamos fazer isso juntos.

Victor sorriu com o canto direito dos lábios e concordou. João ergueu as sobrancelhas e mandou um "*Ok!*". Os três olharam para Peter, que permaneceu imóvel, até Felipe soletrar H-a-n S-o-l-o, o que fez o amigo dar um grito de raiva e andar até a tumba, colocar a mão na lateral e sentir um medo que nunca havia sentido.

Se os filmes estivessem certos, nesse momento um monstro ou espírito seria libertado e acabaria com a vida de todos eles. Os outros se aproximaram. O medo de qualquer um ali estava muito na cara, inclusive na cara do cientista, autor da ideia.

— 1... 2... 3... — contou Felipe, enquanto segurava a câmera com a mão esquerda —, já!

Os quatro empurraram a tampa da tumba para o lado.

Vazia.

Até que uma pedra branca no centro brilhou uma, duas, três vezes, e se apagou para não mais acender.

Nada mais aconteceu.

E por nada mais acontecer, Peter, enfim, voltou a respirar como uma pessoa normal, enquanto só restou aos outros três uma cara meio "então tá, né", de

PAG E MIKE

sobrancelhas erguidas, como quem esperava que algo impressionante acontecesse.

Saíram da mina, com cuidado para não serem vistos, e seguiram o professor, que fez sua última pergunta para a mulher que trabalhava na vila:

— É verdade que abaixo de tudo isso está enterrado Herobrine, o ser mais cruel, maligno e destruidor do nosso mundo?

CAPÍTULO 2

— EU AVISEI! EU AVISEI! — gritava Peter no meio do pátio da escola.

Parecia um daqueles macacos loucos de cara pintada. Ele sempre batia o recorde da humilhação em público. Com classe.

— Eu avisei que a gente havia libertado a lenda de Herobrine, e você — apontou para mim — disse que não, que isso não tinha nada de científico. Veja só o que você fez agora!

— Peter, calma... — interveio João, passando a mão nos ombros do amigo para acalmá-lo. — Você está passando vergonha aqui, moço. Relaxe.

PAC E MIKE

— Não, ele tem razão — admiti a culpa. — Se eu não houvesse convencido vocês, aquelas pessoas estariam vivas ainda... não?

— Cale a boca, Zé.

Victor me fulminou com os olhos, e entendi que ele estava realmente bravo.

— De repente você não acredita mais em sua maravilhosa ciência? É claro que alguém armou para eles e roubou, ou se vingou de alguma... sei lá...

Todos ficaram em silêncio, e pouco a pouco, passaram a me olhar. Eu não fazia a menor ideia do que seria o certo a fazer. Por isso, dei uma de joão sem braço, levantei do banco e vi que a cantina estava vazia. Andei em direção a ela. Com o canto do olho, percebi que eles não estavam entendendo nada.

Ao meu lado direito ficava o centro de alvenaria, que servia para os alunos aprenderem a projetar e construir os mais diferentes projetos. Um pouco à frente, o ginásio de lutas. Ao lado esquerdo, o prédio da escola, onde ficavam as salas de aula, os laboratórios, a cozinha e outros lugares. O prédio tinha dois andares e era imensamente comprido. A escola crescera tanto, que eles precisaram fazer uma nova ala, formando exatamente um L.

Comprei uma batata assada, e de barriga cheia, concluí o que precisávamos fazer.

Voltei até eles e disse:

— Só temos uma solução: precisamos investigar!

Foi difícil convencer Peter de que ele era parte daquilo e não poderia dar para trás. A arma era sempre a mesma: ou suborná-lo com itens dos jogos ou ameaçar bater nele. Dessa vez, fizemos as duas coisas.

Ficou combinado que iríamos no dia seguinte depois da escola. Todos concordaram. Peguei o caminho para minha casa, sempre sozinho, já que o internato onde os três ficavam era para o outro lado, a só duas quadras da escola. Eu era o único que morava com meus pais. Peter, João e Victor haviam vindo para cá para estudar.

Depois de algumas horas no laboratório e de me despedir dos meus pais, que viajariam a trabalho, deitei-me na cama, e só então consegui pensar direito no que havia acontecido. Eu me senti um tanto ridículo por ter levado a sério essa coisa de Herobrine. Impossível.

De qualquer forma, estava curioso para investigar e descobrir o que de fato havia acontecido. Imagine... Sair na tevê desvendando um caso antes da polícia?

Como eu conhecia muito bem meus amigos, imaginava que João teria certeza de que precisávamos investigar isso, já que, hipoteticamente (fantasiosamente, para dizer melhor), nós seríamos culpados. E mesmo com a menor chance de isso ser verdade, João iria até o fim, como sempre. Victor, nem falo nada… Ele entrou nessa porque não devia ter nada melhor para fazer, e depois cantaria de herói para todo o mundo. Peter, coitado, nem tinha opção. Odiava tudo aquilo, só que odiaria ainda mais perder os únicos amigos que já teve.

Quando cheguei à escola, fui direto para o ginásio. A primeira aula era de ação, na qual aprendíamos a usar espada, arco, além de lutas corporais. Mine era um mundo pacífico havia um bom tempo, por isso, pode parecer estranho que ensinassem como lutar ou como se defender na escola. Mas fazia parte da tradição de um mundo que criara grandes guerreiros para uma época em que existiram grandes desafios. Algumas pessoas mais velhas acreditavam em muitas dessas lendas. Tudo parecia meio conto de fadas para mim.

Aprender a me defender de um esqueleto arqueiro? Qual o sentido disso? Não faço a menor ideia, mas o resto da turma adorava o tempo que a gente passava lá, lutando ou praticando algum tipo de esporte.

A segunda aula foi de alvenaria, uma matéria que já tinha mais a ver comigo. Pensar um projeto e vê-lo ganhando corpo sempre foi algo que amei fazer: primeiro via a coisa na minha mente e depois na realidade.

A terceira foi minha preferida, a aula de poções, na qual o professor Aurélio não só dissertou sobre a composição química do *nether*, como também discutiu sobre lendas antigas, como poções de invocação, portais que levam para outro lugar ou até outro tempo e monstros milenares. Quase chorei de emoção.

A aula depois do intervalo guardou uma surpresa. Conhecimentos gerais. Matéria mais difícil de todas! A professora Claudete, dona de um vestido verde-limão brilhoso, tinha sempre que se segurar. Nunca vi mulher mais animada que ela, ficava quase que saltando dentro da própria sala de aula.

— Amores! Hoje vamos fazer um Quiz! E quem vencer, vai ganhar nota máxima na minha matéria!

De repente, a brincadeira ficou séria. Olhei para Peter, Victor e João, que já fechavam nosso grupo e davam risada. Ninguém sabia mais coisas de conhecimentos gerais que Peter. O moço era um desastre, mas lia de tudo um pouco e gostava dos mais diferentes assuntos. Por isso, só a possibilidade de não precisar estudar para a pior matéria da escola no final do ano me fez quase esquecer o que estava acontecendo. Quase.

— Maravilha, amores! Agora, vamos fazer duelos de equipes. Primeiro a... Tazercraft? *Ok*, Tazercraft *vs* Quarteto Sinistro!

PAC E MIKE

— Ah não, mentira! O nome deles é do Homem-Aranha! Já perdemos! — choramingou Peter.

A professora nos levou para o auditório da escola e lá colocou cada equipe de um lado, com um balcão para sentar e tudo. O negócio foi bem pensado. A pior parte aconteceu quando alunos de outras turmas começaram a entrar no auditório.

Fui até a professora e perguntei o que era aquilo.

— Amor, a escola inteira vai assistir. Digo, inteira não, mas o fundamental todo!

Está de zoeira?

Quando contei isso aos meus amigos, Peter quase desmaiou. Ele deixou de ser o branquelo que era para ter cor de *Snow*. Tentou correr, fugir, fingir que havia tido um infarto e até uma amnésia repentina.

O beliscão que Victor lhe deu o fez voltar à realidade e se posicionar, porque a professora já chamava os participantes.

Fui o primeiro a entrar no palco. A galera foi ao delírio. Não por minha causa, mas porque iam ver pagação de mico geral. Eu estaria gritando com eles se não estivesse ali, pronto para ser humilhado. A confiança na vitória ruiu. Peter não se dava bem com pressão nem com multidão. O negócio era já começar a estudar para a prova e torcer para não perder de muito.

— Amores, vamos começar! As regras são simples: eu faço a pergunta, o primeiro grupo que tocar a campainha, responde. Se errar, perde ponto e a chance passa para o outro lado. Entenderam?

Os dois grupos disseram que sim. E só então vi que no Quarteto Sinistro, os integrantes eram Léo, Mika, Júnior e uma menina que havia entrado na escola uns dias antes; eu não sabia o nome dela.

Do nosso lado, Peter estava mais perto da campainha, já que ele era, em teoria, nosso melhor jogador. A professora perguntou:

— Qual a melhor forma de domesticar um lobo?

PRIM!

A campainha do outro grupo tocou e a menina desconhecida respondeu.

— Primeiro, você dá um pedaço de carne, e depois que ele comer, um pedaço de osso. Essa é a melhor forma, professora!

— Parabéns, Mary Jane! Correto!

Dessa vez, Peter parecia que ia ter um infarto de verdade. Eu só não sabia muito bem por qual razão: se pelo nervosismo do desafio ou se pela nova menina na escola, de quem ele não tirava o olho. Ela era bonita, sim, mas acho que o nome, a resposta e o título do grupo dela o fizeram confessar:

PAC E MIKE

— Gente, acho que estou apaixonado...

— Não! Não! Nem comece, Peter! — resmungou Victor.

Tanto que a gente nem ouviu direito a segunda pergunta da professora, e a tal Mary Jane já havia acertado de novo!

Dois a zero sem choro.

— Amores, a picareta é uma ferramenta que serve para muitas coisas. Mas, quais materiais ela extrai melhor?

PRIM!

Isso! Peter!

— *Ok, ok...* Bem... *Ok...* Os materiais são *stone, obsidian, netherrack* e... *gravel*.

— Ah, meu amor — disse a professora —, infelizmente, você errou.

A plateia inteira gargalhou. Mary Jane foi a única, entre todos, que não pareceu feliz com isso. Ainda assim, respondeu.

— *Stone, obsidian, netherrack* e *cobblestone*, professora.

— Parabéns, Mary Jane! Mais uma vez você acertou!

Por mais de cinco rodadas ficamos com o placar negativo, pelo erro de Peter. Seria injusto culpar só a ele, porém; nem eu nem Victor havíamos respondido

nada. João foi o único que acertou uma pergunta sobre medicina.

Quando chegamos à última pergunta, o placar estava em 16 a 2.

— Amores, nós já sabemos o resultado.

A plateia foi ao delírio.

— Mas, para finalizar o Quiz de hoje, a última pergunta será: como é feito o raro ensopado de *marshmallow*?

Todos olharam para mim, porque envolvia uma mesa de craftar, utilizada para fazer algumas poções. Mas, a verdade é que quando pensei em tocar a campainha, Mary Jane já havia feito isso e me olhava com uma cara de sincera tristeza. Ela não debochava de nós, parecia até sentir um tipo de compaixão; mas fazia o melhor que podia.

— Essa eu sei, professora, meu pai adora esse ensopado. A gente precisa de um *marshmallow* vermelho, um marrom e uma tigela. Depois de preparar a mesa de craftar, o marrom vai no topo esquerdo, o vermelho ao seu lado direito e a tigela logo abaixo do vermelho. Basta deixar um tempo ali e depois só preparar normalmente.

Mais uma resposta correta. Ninguém sabia onde enfiar a cara, nem mesmo depois de Mary Jane pedir para pararem de nos vaiar — o que foi ainda mais humilhante (não que ela tivesse a intenção).

Depois de perdermos por 17 a 3, fora o baile, a melhor coisa seria matar aula no dia seguinte, porque o Quiz continuaria (conosco já eliminados), e aproveitar o tempo para investigar sobre o Herobrine, como havíamos combinado antes.

Ninguém nem teve força para contestar, tamanha foi a humilhação.

Apesar da derrota, eu estava curioso pela investigação. Não fazia ideia do que encontraria, mas tinha certeza de que aquilo poderia mudar minha vida.

CAPÍTULO 3

cordei ainda abalado pela vergonhosa derrota do dia anterior. Sonhei com as gargalhadas da plateia. Senti pena de Peter; ele deve ter tido uma noite horrível.

Peguei o celular e entrei no nosso grupo. A primeira mensagem era dele.

"*Não consegui dormir direito...*

Bem como eu falei, né? Pobre Peter...

... estou apaixonado!"

Mentira! Como pode? Ele nem ligou para a derrota! Parei um minuto para pensar e vi que, bem (não acredito que pensei isso), eu deveria ser como Peter e esquecer a humilhação.

PAC E MIKE

Levantei da cama. O dia estava meio nublado, e chover parecia uma questão de tempo. Dito e feito. Uma chuva de dar mais sono que os episódios *fillers* de Naruto. Azar. Tinha que ser esse dia, aproveitando que não haveria conteúdo importante na escola. Porque depois as provas começariam (inclusive a de conhecimentos gerais, para meu desespero) e o negócio ia ficar louco.

No caminho, João lembrou que o professor Aurélio, alguns meses atrás, havia falado um pouco sobre Herobrine em uma de suas aulas sobre lendas. A criatura tinha um irmão. Eles foram os primeiros habitantes do mundo Mine. Cada um representava o completo oposto do outro. Um era a materialização da bondade e das coisas belas. Herobrine era a maldade completa. Outras versões diziam apenas que eram dois irmãos comuns que, com o tempo, foram revelando ter ideias e pensamentos diferentes, resultando em conflitos e, mais tarde, numa guerra épica por poder, que desapareceu com os dois primeiros seres de Mine. Alguns apostavam que N, o deus de alguns, havia aprisionado ambos por razões inexplicáveis.

Eu não botava fé em nada disso, nem em lenda do bem contra o mal — coisa mais tosca, ultrapassada —, nem em N. Tudo era uma questão de achar as

evidências corretas para, então, desvendar a resposta lógica e racional.

Quando chegamos perto da vila, falei para amarrarmos as bicicletas todas juntas em uma das árvores, alguns metros mato adentro.

— Prontos? — perguntei.

Eles só balançaram a cabeça; não pareciam animados, não. Nem Peter parecia mais tão apaixonado. E a culpa nem era da chuva ou da humilhação do dia anterior, e sim de Herobrine.

Sem dificuldade alguma, entramos na vila. Era tão fácil pular aquele muro, que comecei a pensar que havia sido projetado para isso mesmo: para ser pulado. Fomos direto para a mina; o resto do lugar não nos interessava. Ela estava fechada. Impossível entrar.

— A polícia deve ter feito isso para impedir curiosos — disse João, tentando diminuir a tensão.

— *Ok, ok*. Vamos dar meia-volta e vazar — disse Peter, dando as costas e correndo para o portão.

Ninguém se deu o trabalho de falar nada. Foi legal ver até onde ele iria sozinho para, depois, voltar de rabo abanando. E ele não correu para muito longe. Por conta própria, parou e perguntou se ninguém o impediria.

— Mala do caramba, volte logo e vamos resolver isso — finalizou Victor.

PAC E MIKE

— Nossa, não precisa ser tão grosso comigo.

Victor chacoalhou a cabeça e Felipe deu risada.

Um trovão estourou no céu. O barulho, porém, foi próximo. Muito próximo!

Primeiro, vi a luz amarelada, e depois, senti o calor. Uma árvore a alguns metros de mim pegou fogo. Quando me voltei para meus amigos, Peter estava agarrado nos braços de Victor, que aceitava numa boa. Devia ter tomado um susto tão grande, que nem ligava.

Eu olhava para todos os lados em busca de qualquer sinal, de qualquer indício que explicasse aquilo.

Nada.

Parecia ter sido uma coincidência, uma brincadeira da natureza.

Dois segundos depois, outro raio estourou. À esquerda, dessa vez. Atingiu uma das casas de madeira, que começou a pegar fogo e foi tomada por completo pelas chamas.

— O que é isso? — perguntei.

— Vamos embora, pelo amor!

— Calma, gente, calma… vamos, mas calma, calma — pediu João.

— Calma? Eu estou com Peter, cagando de medo!

O vento ficou mais forte, as árvores balançavam como se quisessem fugir. Viramos em direção ao portão

e corremos. Para quê? O terceiro raio caiu por ali e tomei um tombo feio.

Estranhei; ninguém falou nada, ninguém zoou da minha cara ou foi me ajudar. Quando olhei para trás, quase xingando geral, percebi no rosto dos três aquilo que eu mais temia, mesmo que não quisesse admitir.

Meu estômago embrulhou e senti vontade de vomitar. Devagar, virei o corpo. A primeira coisa que vi foi o reluzir dos olhos brancos, que mais pareciam dois refletores poderosos, tamanha a iluminação que dava ao lugar.

Meu Deus! Seu corpo era de um humano comum... menos os olhos... e mesmo com corpo de humano, era o ser mais estranho que conheci. A gravidade em volta dele parecia ser maior e o tempo mais devagar, como se, sei lá, a vítima tivesse a oportunidade de fazer os últimos segundos de sua vida durarem pelo menos alguns segundos a mais.

Uns aterrorizantes segundos.

"Até quando vamos viver?" era algo que eu falaria aos meus amigos se tivesse coragem de falar. "Até quando?" O medo congelou meus movimentos. Nem um passo, nem um espasmo, nem uma simples respiração.

Como se preparasse um ataque, a criatura ergueu os braços. De repente, jogou-os para baixo, invocando algum tipo de magia. Os trovões? Sim! Dois trovões estouraram a três metros. O ser de olhos brancos parecia contrariado; executou o movimento mais uma vez.

Errou.

Ele estendeu o braço direito em linha reta, na altura do ombro, e voou na minha direção.

"Acabou…", foi a única coisa que consegui pensar.

— NÃO! — gritaram todos.

A criatura vinha tão rápido, que eu não tive tempo de desviar. E quando ele ia destruir meu peito, apenas o atravessou. Como se eu fosse um holograma, e não um corpo sólido e físico.

Literalmente me atravessou, *à la* Kitty Pride. Fiquei em transe, não sabia se estava vivo ou morto, se algo ia acontecer ou não. Quando ia começar a dor? Olhei meu corpo e nada. Nenhum sangramento, nem sequer um arranhão.

Olhei para trás e vi a criatura de joelhos dobrados. Parecia fraco, cansado, seus ombros subiam e desciam. Estava com falta de ar? Estava quase… morto?

Do céu, uma luz da mesma cor de seus olhos surgiu, e tão rápido quanto apareceu, ele sumiu.

Só havia uma coisa a fazer.

— Vamos! Vamos embora! — gritei, e corri para fora da vila.

Ninguém perdeu tempo. Pegamos as bicicletas e pedalamos como nunca de volta à cidade.

Eu já estava deitado na cama havia algumas horas e não parava de tremer. Peguei a terceira coberta para ver se dava um jeito. A toda hora me lembrava daquela falta de pupila, daqueles raios assustadores e do medo que havia sentido. Todas as minhas verdades foram destruídas. No fundo, eu não sabia nada.

Aliás, uma coisa eu sei: por algum motivo, Herobrine não conseguiu nos matar. Mas era capaz de matar outras pessoas. E por menos que eu quisesse, era minha responsabilidade acabar com essa criatura esquisita. Foi o que eu disse aos três quando voltávamos da vila. De cara, João concordou. Peter e Victor reclamaram, mas, no final das contas, não tinham muito palpite.

Peter disse que ia descobrir como acabar com tudo. Eu também, mas a verdade é que nem sequer levantei da cama desde que cheguei em casa.

Meu celular vibrou. Era uma mensagem do Peter no grupo. A essa hora? Meu Deus, será que ele também não está conseguindo dormir? Será que ele foi pego pelo...

PAC E MIKE

"Descobri como invocar e matar Herobrine!"

Sorri, crente de que tudo acabaria em breve. Ainda assim, naquela noite, não tive medo do escuro, mas do brilho da claridade.

Peter, esta é a última vez que...
— disse eu.

À tarde, havíamos tentado uma invocação de Herobrine que, bem... resumira-se a Peter juntando um monte de produtos e ingredientes, até que a coisa toda explodira e federa como se um zumbi houvesse comido um porco cru, que houvesse comido antes um zumbi podre, e esse zumbi podre houvesse comido antes dez quilos de feijoada, e essa feijoada houvesse sido feita com orelha, rabo e pé de um porco cru, e esse porco cru houvesse...

— Moço, calma, calma, isso vai dar certo! Eu tenho certeza!

PAC E MIKE

Estávamos próximos a dois prédios idênticos de dois andares, onde, segundo a descoberta de Peter, uma seita se reunia. Ele me mostrou por cima as mensagens que havia identificado na internet. *"Deixe Herobrine encantar você!" "O poder de Herobrine vai fazer seu corpo vibrar!"*

João e Victor ficaram do lado de fora, vigiando para saber se algum suspeito entraria. Eu e Peter fomos para os fundos do prédio da esquerda. Entrar pela porta da frente não seria a estratégia mais inteligente.

Afinal, o que esperar de pessoas que cultuam um ser como Herobrine? A ideia era só vigiar e ver o que aconteceria ali para, quem sabe, fazer algo ou até alertar a polícia.

Quando eu me preparava para subir por um tipo de escada que levava ao topo do prédio, olhei para trás e vi Peter com dois olhos verdes brilhosos.

— Que é isso?

— Está doido, Felipe?

— São os óculos do Splinter Cell, moço. Dá para enxergar no escuro perfeito aqui. Estou até filmando!

— Você está falando sério? — perguntei.

— Calma, moço... não precisa ficar...

— Onde eu consigo um desses? Por favor! Que coisa doida, deixe eu experimentar!

— Não, esse é meu. Eu lhe dou o *link* para comprar, depois. Tire o olho.

— Já lhe falaram que você é chato para caramba?

— Quem está usando os óculos do Splinter Cell e uma camiseta do Homem-Aranha? Eu mesmo. Reveja seus conceitos do que é ser legal, Felipe.

Peter deu as costas para mim, sentindo-se o rei do pedaço. Até que... torci para não ser verdade. Tive a leve impressão de que ele estava tentando imitar uma aranha. Achei que seria ridículo demais, o cúmulo da vergonha alheia, mas fui obrigado a acreditar quando Peter olhou para baixo e fingiu que soltava uma teia na minha cara.

Quase virei as costas e fui embora, de tanto desgosto.

Quando cheguei ao topo, Peter já havia aberto uma portinhola no chão e entrava no prédio.

— Calma! Espere por mim!

— Quem mandou ficar jogando Metal Gear?

— Você é muito chato, moço. E Metal Gear é muito melhor que Splinter Cell.

Ele olhou para trás, amarrou a cara, bateu e trancou a portinhola na minha frente. Disse que só abriria se eu pedisse desculpas. Depois de trinta segundos discutindo, eu já não aguentava mais ouvir a voz e o deboche. Desculpei-me e pude entrar.

Estávamos num tipo de depósito, cheio de caixas e teias de aranha.

Fiz sinal de silêncio para Peter.

Tomei todo o cuidado para não pisar em qualquer lugar que pudesse fazer barulho. E consegui. Olhei para trás. Com as mãos, sinalizei que ele poderia avançar.

Para quê?

Como se tivesse um décimo da habilidade de qualquer detetive, Peter se jogou no chão e tentou seguir com duas cambalhotas para frente. Desorientado por natureza, cambaleou para cima das caixas, derrubando pelo menos quatro delas e disparando não o alarme da loja, mas o da burrice.

Ouvi o som de passos correndo.

A porta se abriu.

A luz se acendeu e um homem fino como um palito falou:

— O que é isso? Não! De novo não! Vocês vieram roubar minha edição especial do *One Piece*? Eu já avisei a polícia!

— Não! Não! — eu comecei a falar, para só depois passar a entender. — Espere aí... como é? O que é isto aqui?

— Uma loja de livros, quadrinhos, jogos — respondeu o homem, que já segurava um cabo de vassoura pronto para o ataque.

— Peter?! — questionei, enquanto lutava para manter meus punhos abertos e longe da cara daquele tonto.

— Que edição é essa aí? Está à venda?

— Por favor, Peter!

— Desculpe, calma, calma, desculpe... Senhor, aqui não é o lugar onde Herobrine ia aparecer?

O homem meio que tentou falar alguma coisa, mas acho que de tão absurda que era a situação ali (eu devia estar mais branco que Frodo empalado pela Laracna, e Peter, bem... ele usava óculos verdes), ele balançou a cabeça, bateu o rodo umas três vezes no chão e falou, antes de virar as costas e descer:

— Não... Esse negócio de Herobrine, pelo que sei, é no prédio ao lado.

— João, você acredita que esse tonto fez a gente entrar no prédio errado? — falei depois de me acalmar.

— Não é bem assim — ele teve a cara de pau de protestar.

Uma coisa preciso confessar: ele é um moleque de coragem, porque faltou pouco para eu lhe dar uma poção de sono eterno.

João franziu a testa, levou a mão direita ao queixo e falou tão baixo que, imagino eu, deve ter pensado em voz alta.

PAC E MIKE

— Se esse era o prédio errado… O outro é o prédio certo? Moços, Victor entrou lá! Seguiu uma menina, falou com o segurança na porta e foi!

Olhei para João, que estava de olhos arregalados e boca aberta. Dava para ver que estava arrependido por não ter impedido Victor de entrar sozinho no prédio de Herobrine! Balancei a cabeça, desesperado, sem saber o que fazer. "Ele pode estar… não, não vou pensar nisso!"

— Vamos entrar — falei. — Eu converso com o segurança. Passem-me todo o dinheiro que vocês têm.

Juntei toda a grana que tínhamos, e ainda mandei Peter me dar seu relógio, que, surpreendentemente, não era de nenhum super-herói ou personagem, e fomos até a porta do prédio.

Cutuquei o segurança, e ele precisou se abaixar para me ouvir, de tão grande que era.

— É o seguinte: somos adoradores de Herobrine, mas perdemos nosso convite. Fazemos tudo por ele, dedicamos nossa vida a ele, tudo, tudo que nós somos é de Herobrine. Um amigo nosso acabou de entrar, e ele já está aí dentro adorando. Sei que talvez você não possa nos deixar entrar porque perdemos os convites, mas, eu tenho um… presente.

Coloquei todo o dinheiro e o relógio na mão do segurança, que olhou aquilo, passou a língua pelos

lábios e fez uma cara de quem refletia sobre o que estava acontecendo.

Eu só queria que ele aceitasse logo! A chance de levar um soco desse gigante era grande!

E então, ele sorriu e abriu a porta.

A primeira coisa que vi, logo de cara, foi Victor caído no chão, tentando se levantar, e um homem quase do tamanho do segurança xingando-o. A segunda coisa que percebi foi o volume do som e o tipo de música que usavam para cultuar Herobrine. Um batidão violento. Herobrine era da pesada.

Corri até Victor e o acudi. Ele estava com o olho roxo e não falava coisa com coisa. Havia uma multidão à nossa volta, rindo e dançando.

— Você está bem? — perguntei.

— Frango e batata-doce — respondeu ele.

João, calmo como sempre, cumprimentou o grandalhão, conversou com ele, e veio até mim.

— Victor estava dando em cima da namorada dele...

— Nem nessa hora ele consegue... Espere aí, cadê Peter?

Enquanto segurava Victor, olhei para todos os lados, e nenhum sinal de Peter. João andou por todo o lugar, mas nada. Nem Peter, nem Herobrine. Era só o que faltava!

— Vamos levar o olho roxo aqui para fora e depois voltamos — disse João.

Quando ajudávamos Victor a se levantar e o carregávamos em direção à porta, ele parou, tirou um folheto do bolso e o entregou a mim. Estava escrito:

DJ HEROBRINE
REMEXENDO ATÉ ESPÍRITOS
[apresentação gratuita]

— Você está dizendo o que eu acho que… — perguntei. Não, não é possível!

Saímos da balada. Peter estava ali fora, com o folheto na mão. Nem chegamos perto e ele já começou.

— Calma! Calma! Ah, nem vem! Eu não sabia, não tinha como saber, não dava para saber que havia um DJ chamado Herobrine!

Eu tentei falar algo, mas juro que nenhuma palavra me veio à cabeça. Só a raiva por ter sido tudo inútil. Victor inclinou o pescoço; estava furioso. Soltou-se de mim, correu e empurrou Peter, que caiu no chão dizendo que ia morrer, que estava vendo a luz, que avisassem seus pais que ele os amava e que não deixassem de subir o personagem dele no WoW.

Nada disso importava. Descobriríamos um jeito de acabar com Herobrine?

Quando cheguei em casa, a única coisa que queria era conversar com meu pai sobre qualquer bobeira que passasse na tevê, e se minha mãe pudesse, perder para ela no Gran Turismo. Porém, a única coisa que tive foi a porta trancada e destrancada por mim mesmo, a casa escura, um jantar requentado, um episódio porcaria de comédia e uma cama vazia, sem um boa-noite para dar, sem um puxão de orelha para receber.

Eles ainda não haviam chegado de viagem.

Aquela maldita criatura não fazia bem para minha cabeça.

PAC E MIKE

Nunca senti isso; uma ausência de tudo, como se eu fosse sozinho no mundo. Peter é um tonto, mas pelo menos tentou fazer alguma coisa, enquanto eu fiquei na cama resmungando a noite passada; nem pesquisar pesquisei. Tudo por medo de tomar a iniciativa, de descobrir algo, de me comprometer de verdade.

Eu precisava sair da minha zona de conforto, fazer algo para acabar com tudo aquilo. Não tinha saída ou escapatória, eu tinha que terminar o que havia começado! Era meu dever!

Passei a madrugada acordado, pesquisando em *sites* do mundo inteiro os menores indícios sobre Herobrine. Algumas vezes, depois de dormir sentado na mesa do computador, acordei no susto, por causa de um pesadelo com duas bolotas que brilhavam na completa escuridão e me perseguiam até eu cair, sem perceber, de um precipício que não acabava nunca — só quando eu acordava.

Fui para a escola, esperei o professor Aurélio na porta. Contei tudo o que havia acontecido. Eu sempre soube que ele era um homem muito crente, por causa das histórias que contava na sala de aula. Ele era a pessoa certa. Não demorou para acreditar em tudo que eu falava, e em vez de tentar me afastar ou me pôr medo, ele me ajudou. Falou para a turma que

se atrasaria um pouco e foi para casa, de onde voltou com dois livros imensos.

— Eu leria para você, mas tenho aula hoje o dia todo. Se a situação é tão urgente, melhor que você mesmo leia. Existem resquícios de uma poção, não sei ao certo. É um livro cuja leitura sempre protelei. Vou liberá-lo da aula, tudo bem? Avise-me de qualquer coisa importante.

Na leitura, descobri a razão de Herobrine não poder nos matar: ele não pode atacar as pessoas que foram responsáveis por ter lhe dado a vida. A não ser que essas pessoas o ataquem no futuro, com intenção de matá-lo. Ou seja... existe um tipo de lei divina que rege tudo isso.

Comecei a me perder dentro de tudo em que eu acreditava.

Coloquei a informação no nosso grupo, para todos saberem.

Demorei um dia inteiro, entre cochilos e pesadelos, para conseguir juntar aquilo que poderia vir a ser uma receita.

Na outra manhã, lá estava eu de novo, na porta da sala do professor, pedindo sua ajuda. Ele decifrou alguns ingredientes, e outros, já extintos. Deu dicas de como eu poderia alcançar a síntese daqueles ingredientes que não existiam mais.

PAC E MIKE

Depois de usar as primeiras aulas para pesquisa, descobri que dois deles seriam impossíveis de conseguir em curto prazo sem quebrar algumas regras.

Joguei isso nas costas dos meus amigos, com quem mal conversara nas últimas horas, que me mandaram mensagens dizendo que estavam preocupados comigo, que estranharam minhas faltas e o sumiço da sala de aula, e que quando me viam, não me viam de verdade, viam só um rascunho de mim.

Sem desculpas. Havia coisas mais importantes para fazer. Mandei uma mensagem para eles e dormi. Tive o mesmo pesadelo. Na biblioteca, João me acordou, todo suave, como sempre. Não dei chance para ninguém falar e contei o que eles precisavam fazer. Simples assim: roubar dois ingredientes do depósito da escola.

Como? Quando? Por quê? Com quem?

Não me interessava. Eu estava fazendo tudo, eles poderiam fazer pelo menos alguma coisa.

Demorou dois dias para me entregarem o resultado. Não economizei na bronca. Victor ficou mais puto que o normal, quase me bateu, como sempre faz com Peter. Mandei-o deixar de ser besta, que eu era o único que poderia salvá-lo. Peter ficou quieto, e depois, João disse que estava preocupado comigo, que eu precisava dormir, descansar. E contou que só

conseguiram o ingrediente porque a tal Mary Jane, que nos humilhara no Quiz, havia ajudado.

Respondi que não me interessava e pedi para irem embora. Eu tinha muito trabalho a fazer. Combinei de irmos até o vilarejo no dia seguinte, no começo da noite.

Meus pais mandaram uma mensagem dizendo que iam se atrasar, que haviam tido um problema com o avião. Tudo bem. Melhor assim.

Trabalhei a noite inteira.

Um frasco de poção seria o suficiente, mas preparei dois. Não fiz mais porque os ingredientes acabaram. Não é todo dia que você precisa matar uma lenda que ganhou vida. Além disso, o tempo era curto. Herobrine não poderia ganhar mais força, pois a poção só o derrotava na fase inicial.

No horário de ir para a escola, capotei de sono.

Pelo menos, dormi até umas 19 horas. E o melhor: não acordei várias vezes. Isso não quer dizer que ele não me perseguiu nos sonhos, só que não acordei.

Eles chegaram em profundo silêncio. Nem Peter, que usava os óculos do Splinter Cell, abria a boca para qualquer coisa que não fosse pedir para ficar na cidade. Eu só queria terminar tudo o mais rápido possível. Eles também.

Ao chegarmos à vila, o relógio marcava quase 20 horas. Paramos no portão.

O lugar já estava bastante escuro. Ter os óculos de Peter ajudaria muito nesse momento. Quem primeiro falou algo foi João:

— Como sabemos que ele vai aparecer? E se ele não estiver aí?

— Que Deus N lhe ouça — resmungou Peter, com uma sinceridade que me daria dó se eu estivesse preocupado com alguma coisa que não fosse enterrar essa história.

Ainda assim, resolvi responder:

— Antes de assumir uma forma mais poderosa, ele não pode sair da vila.

— Então, vamos matar esse otário logo.

Imaginei se seria necessário repassar a estratégia. Deduzi que não, até uma criança saberia o que cada um tinha que fazer. Victor e Peter possuíam um frasco cada e uma única chance para acertar Herobrine. Eu sempre tive uma mira bem mais ou menos, não era o mais recomendado para isso. João garantiu que Peter seria um bom arremessador. Veríamos.

— Estão prontos? — perguntei, e de bate-pronto, recordei toda a noite em claro para conseguir terminar aquilo que, enfim, deveria trazer paz de volta à minha vida.

Entrei na frente, pulei o portão da vila e não olhei para trás para saber se alguém precisava de ajuda.

Fechei os olhos, senti um frio percorrer toda a minha barriga; lembrei-me dos meus pais. Não poderia falhar!

— Herobrine! Apareça!

— Felipe, você está louco?

Peter correu e colocou as mãos sobre minha boca. Dei-lhe um empurrão, e sem querer, acertei meu cotovelo nele. Não foi minha culpa. Voltei a gritar.

Eu sabia o tom macabro que essa cena tinha: uma vila abandonada, destruída, onde tudo soava a medo e desespero; um amigo que passara o dia sumido que gritava igual doido o nome daquele que todos temiam.

Sabe qual foi o pior problema? Não me importei com o medo deles. Coisas maiores estavam em jogo!

— Fê, eu sei que temos que chamá-lo, mas não acho que tem que ser assim — disse João, sempre tentando contornar e balancear a situação.

Não dessa vez. Meus gritos continuaram, até que senti uma porrada nas costas que me derrubou.

Victor pulou em cima de mim.

— Saia! — gritei, distribuindo socos e chutes onde eu conseguia acertar.

— Não! Pare com isso! Eu estou com mais medo de você que dele!

— Isso é problema seu. Herobrine! Venha! Apareça! Venha!

— Cale a boca!

— Não!

A última coisa que vi foi a mão direita de Victor vindo em minha direção. Acertou meu queixo em cheio. Depois? Os olhos de Herobrine me perseguindo em pesadelo.

Pisquei várias vezes na tentativa de desembaçar minha visão. Tudo era um borrão e assim permaneceu por alguns segundos, enquanto meu queixo doía.

Eu mal sabia onde estava, quando com nitidez vi as estrelas do céu. "Que lugar é esse? Estou de férias numa fazenda, num campo?" Foi quando quase tudo voltou! A memória, a visão, mas o raciocínio... ainda não.

Eu estava caído no chão, com Victor e João em pé ao meu lado. A primeira coisa que pensei foi em descontar aquele maldito soco, e por isso, agarrei as pernas de Victor, que tropeçou no meu corpo.

Percebi que minha audição também estava boa quando João gritou:

— Não!!!

Tarde demais. Junto com Victor, um dos frascos que eu havia preparado com tanto cuidado e empenho rodopiou no ar, e em câmera rápida mesmo — nada de câmera lenta ou *close* ou pausa dramática —, o frasco caiu, despedaçou-se, gerando a tão falada — nos livros que li — fumaça branca capaz de matar Herobrine e nocautear seres humanos.

Foi pior que o soco de Victor. Parecia que eu levava uma porrada em cada parte do corpo.

Dormir sabendo que encontraria Herobrine em meus sonhos era uma porcaria. Desmaiar sentindo pancadas ao longo do corpo, ainda pior. Mas não era com a fantasia que eu mais me assustava, porque nada

PAC E MIKE

disso parecia sério quando vi dois faróis brancos brilhando: o Herobrine real estava ali!

E eu ficaria desacordado por pelo menos uma hora;
culpa da poção.

L evantei num salto, tão rápido que tudo rodopiou e voltei para o chão. Caí de bunda em cima da barriga de Victor, que acordou no susto, tirando-me de cima dele. João e Peter estavam em pé, encarando-nos.

Peter tinha um sorriso amarelo forçado tão falso que nem o mais ingênuo acreditaria. Havia algo de errado.

João ou sabia disfarçar muito melhor ou estava mesmo tranquilo. Era óbvio que Herobrine não estava ali, e como pude certificar, eu ainda estava vivo. Logo, alguma coisa não tão ruim havia rolado enquanto eu estava apagado.

Já que ninguém falou nada e Victor estava meio grogue, perguntei:

— O que aconteceu? O que aconteceu com seus óculos?

Ele não os usava mais.

PAC E MINE

— *Ok...* Vocês todos desmaiaram com a poção — respondeu ele, e fez o sinal de beleza com a mão direita, que não ficou estável no ar de tanto que tremia.

— Gênio você, né, Peter! Disso eu sei. O que aconteceu depois disso?

Ele olhou para João, como se confidenciassem algo.

— Ué, vão ficar de segredinho?

Estava na cara que, por alguma razão, ele não queria responder. Demorou o máximo que pôde, até João acenar com a cabeça.

— Ele quebrou meus óculos. E, antes, ele... a poção de vocês acertou um pouco nele. Ele estava muito fraco, aí eu o ataquei e ele desapareceu.

— Ele desapareceu?! Estamos ferrados! Ele vai voltar!

— Não! Não! Eu acertei a poção nele... ele desapareceu de morrer.

— Sério?

Arregalei os olhos e senti meu sorriso se abrindo de orelha a orelha. De repente, voltei a ser só um estudante de Mine, e não alguém encarregado do futuro da humanidade. Depois de dias e dias, consegui respirar fundo e não sentir nenhum frio de ansiedade na barriga. — É sério! — falou João, e sorriu — Peter só estava nervoso... Herobrine o ameaçou e tal antes de morrer. Mas acabou!

— Isso! Acabou!

Abracei Victor, corri até João, lasquei-lhe um beijo na testa e pulei nas costas de Peter, que perdeu o equilíbrio e caiu. Enfim, havia acabado!

Era só voltar para a escola, para os Quizes, os esconde-esconde, os polícia e ladrão, as aulas e os concursos de poções. Para uma vida normal!

TRÊS ANOS DEPOIS

— É o último dia de aula da nossa vida e ele não aparece? — perguntei um tanto indignado com Peter.

João abriu um sorriso e respondeu.

— Não é o último dia de aula da nossa vida, né? Temos a faculdade ainda, ou você já vazou?

— Esse Zé aí está de boa fazendo poção e coçando o dia inteiro — disse Victor enquanto guardava seu material.

Se arrumar a mochila da escola mais rápido fosse uma modalidade olímpica, Victor venceria, tamanha a pressa de ir embora.

— Sabe quando eu volto para esta escola? Quando houver uma festa ou uma novinha para mim. Só!

Fiquei quieto. Voltei a pensar em Peter, que depois daquele dia na vila nunca mais havia sido um aluno lá muito dedicado ou um amigo muito presente. Tudo bem que ele estava prestes a lançar seu livro sobre Herobrine. E sempre que perguntávamos, ele falava que tinha outras preocupações mais importantes: vídeos sobre o acontecimento, entrevistas, pesquisas. Enfim, tudo que o pudesse ajudar a ganhar mais dinheiro.

Muita gente não acreditava na história de Herobrine. Isso não fazia muita diferença, já que, mesmo não acreditando, a galera comprava tudo que Peter produzia. Antes mesmo do lançamento, o livro já era um dos maiores sucessos do ano e havia sido vendido para um estúdio a preço de ouro. O filme de Herobrine já estava a caminho.

Para que escola?

— A que horas vocês vão lá? — perguntou João.

Isso me trouxe de volta à realidade. Victor respondeu primeiro, exibindo os músculos.

— Vou chegar um pouco atrasado, tenho esgrima e depois boxe.

João deu risada, mandou-o parar de ser metido e disse que não devíamos nos atrasar. Ele iria logo depois do treinamento de arco e flecha.

— Fechou. A gente se encontra lá, então — falei, ainda meio fora de sintonia.

Os dois haviam dedicado boa parte da vida pós--Herobrine a aprender a se defender e a lutar. Eu até que havia feito algumas aulas, mas isso não era muito

minha praia. Só que, como eu via todo o mundo melhorando, desenvolvi poções de ataque, que funcionavam como armas. Durante os três anos, fiz várias descobertas e melhorias em poções já existentes. A maioria eu mantive em sigilo, para ninguém encher meu saco — meus pais ou até o governo.

O sinal tocou. Saí da sala de aula. Parei no corredor. Olhei para trás. Vi as mesas bagunçadas, os blocos destruídos espalhados pelo chão. A última aula havia sido recreativa: criar alguma coisa com um bloco de argila. Ia tudo muito bem, até que no meio da aula a professora arremessara argila na cara de um aluno e declarara o início da guerra. Um grupo fora sorteado para limpar tudo. Por sorte, eu havia escapado. Victor e João, não.

No fundo, eu sabia que ia sentir saudade de tudo que havia vivido ali; as brincadeiras, conversas, horas perdidas e entediantes. Sentiria falta de alguns professores, do lugar, da rotina. Mas, principalmente, dos meus três amigos.

Era um passo brusco demais para não sentir nada: de repente, num piscar de olhos, não havia mais escola. Sei lá, não que eu quisesse passar o resto da vida ali, mas saber que tudo aquilo havia acabado de vez, ah... fazia meu nariz coçar. Era melhor eu ir embora antes de chorar na frente de todos.

PAC E MIKE

Ao menos, pelo que pude ver no corredor, eu não seria o único. A galera estava em prantos, abraçava-se, fazia juras de amor, assinavam as camisetas uns dos outros.

Passei a tarde inteira dentro do meu pequeno, mas equipado, laboratório que havia montado no porão de casa. Aproveitara uma das viagens dos meus pais e construíra tudo lá. Quando voltaram, bem, já estava pronto, ninguém me proibiria.

Testei algumas variações de uma poção de cura, aprendida havia algumas semanas. Dissequei as substâncias de uma melancia e isolei-as para misturar a uma pepita de ouro. Dei-lhe o nome de "melancia reluzente", por falta de criatividade mesmo. O próximo passo era adicionar um fungo do *nether* à melancia reluzente. Antes de misturar tudo, separei três frascos de água, que se transformaram em uma estranha poção (esse nome foi dado porque o cheiro era, no mínimo, estranho). Depois, juntei todos os ingredientes, e o resultado foi uma poção de cura melhor do que a que se vendia por aí.

Eu sabia que isso poderia render uma grana alta, mas precisava testar e passar por todos os processos legais, coisa que eu ainda não podia pagar. A alquimia continuava em franco crescimento, e o fato de eu ter conhecido professor Aurélio e os livros que ele me dera foram um grande passo na minha carreira. O acesso era limitado.

Por mais que a tecnologia tivesse avançado em Mine, as descobertas naturais ainda eram um tanto quanto precárias, porque foram proibidas por muito tempo.

Quando terminei, voltei a pensar em Peter. Ele nunca havia visitado meu laboratório. Só Victor e João. Na realidade, ele só se afastara de nós. As desculpas eram as de sempre, como eu já disse: livro, entrevista, trabalho, pesquisa, e mais recentemente, uma casa em construção, na qual ninguém podia entrar.

Olhei para ver as horas: quase 18! Eu sempre perdia a noção do tempo dentro do laboratório. Tomei banho, coloquei uma roupa social e fui para a livraria.

De longe, vi João apontando para o relógio e sorrindo. Eu sabia o que ele ia fazer. Dez minutos atrasado, só! Sorri também.

— Fê, você não tem ideia de como ele está indo mal nessa entrevista.

João falava de Peter, que estava sentado em uma poltrona falando com uma repórter de um importante canal de televisão. Cheguei mais perto e ouvi um trechinho:

— Ah, sem dúvida, claro, claro, Peter Par...Par... Park... Peter Park... Parker... Pet Parker... Peter Parker! Peter Parker... meu herói preferido, meu pai me deu esse nome por causa dele.

PAC E MIKE

O então escritor estava ensopado de suor; parecia que havia entrado numa sauna e ficara lá dentro metade do dia.

Sussurrei para João:

— Você não acha que ele está estranho?

— Claro, moço... É o lançamento do livro dele. Ele está muito nervoso. Por isso ninguém podia atrasar, né!

Óbvio que ele ia aproveitar para me dar uma puxada de orelha. Aproveitou para repetir, porque Victor havia acabado de chegar. E depois que ele viu Mary Jane, então, quase teve um treco.

— Não sei... Peter já deu centenas de entrevistas. Está muito mais nervoso que o normal, sei lá — falei antes de cumprimentar Victor, que já emendou com toda sua simpatia de sempre:

— Cale a boca, mano, ele deve estar com caganeira, só isso.

Ele nem me deu tempo de resposta; correu para pegar os salgadinhos.

— Vixe, veja isto — João estendeu o celular —, ele já virou meme no Twitter.

Cinco minutos depois, João mostrou o celular de novo:

— Moço, já fizeram um *remix* dele: "Pe.pe.pe.pe.Ker. ker.Par.Par.Ter.ter.Ter.Terrrrrrr.Parterrrr.Pe.Pe.Pe".

— Desligue isso, por favor — disse Peter atrás de nós. — Fiquem até o final, *ok?* Vamos para minha casa depois, tenho uma coisa importante para dizer.

— Abaixe a bola — protestou Victor com a boca cheia de comida —, eu vou depois que me trocar. Não aguento vestir essa camisa, nem sei por que você me mandou vir assim. Até achei que você viria com a sua do Pe.Pe.pe.Ter.ter.Ter.Par.Par.par.Ker.ker.Ker.

O escritor saiu vociferando e se sentou para autografar os livros, onde passou mais de quatro horas. Nesse meio-tempo nós fomos embora e trocamos de roupa, com a esperança de que ele tivesse uma piscina e uma festa particular preparadas. Voltamos para a livraria.

Peter só terminou de autografar os livros quando fecharam a livraria. Ele saiu sério, nem parecia que havia acabado de lançar um grande sucesso. Pediu que tivéssemos calma, chamou um táxi e levou todo mundo para sua casa, onde um muro de uns seis metros de altura tampava qualquer visão do que havia dentro.

— Que loucura é essa, Peter? — perguntou Victor.

— Nem me fale, essa casa me dá medo — respondeu o dono daquele lugar.

— Por que a construiu assim?

Perguntei o óbvio. A situação ficava cada vez mais estranha. Ele só poderia estar armando alguma coisa, com certeza!

— Vocês já vão descobrir...

No fundo, Peter não havia mudado nada. Continuava exalando medo em qualquer coisa que dizia. Vi o *novo escritor* digitar uma senha no portão e uma porta de aço abrir. Percebi que eu não era o único achando tudo aquilo muito estranho. Victor também tinha uma expressão mista de susto e diversão. João, por outro lado, parecia mais calmo. Será que ele sabia de algo?

Andamos por um corredor estreito, todo isolado, sem janela. Peter digitou outra senha e entrou, e dessa vez, teve seu olho direito escaneado. Que loucura era essa? Só depois da checagem completa a porta se abriu.

A casa era toda decorada com pôsteres, revistas e desenhos do Homem-Aranha. O piso, a parede, o teto, os móveis. Tudo. Entre cozinha, sala, escritório e despensa não havia nenhuma divisão, nenhuma porta. Tudo era um único cômodo. A única divisão visível era, imaginava eu, a do quarto dele.

Eu e Victor zoamos a casa por mais de cinco minutos, mas a única coisa que ele respondeu foi:

— Há câmeras e sensores de movimento em todos os lugares. Já os desativei, não se preocupem. A falta de divisão é para eu poder ver qualquer lugar.

— Tudo isso é medo, Peter? — perguntou João.

O amigo só confirmou com a cabeça.

As enormes janelas espalhadas pela casa estavam encobertas por um tipo de persiana que abria com um único comando. Foi o que Peter fez, revelando um belo e cuidado jardim, assim como uma piscina nos fundos da casa.

— Agora eu vi vantagem, seu Zé! — gritou Victor.

— Quanto dinheiro você está ganhando com tudo isso? E a minha parte?

PAC E MIKE

— Victor... — intervim; não era a melhor hora.
— Por que você tem tanto medo, Peter?

Ele se sentou num sofá branco com mais de quatro metros e respirou fundo. Aquilo estava me deixando com falta de ar. Desembuche logo! Mas não... Ele colocou as mãos nos joelhos, e quando decidiu falar, João o interrompeu.

— Deixe eu falar, Pe. Ele... ele acha que Herobrine está vivo.

Não foi o nome da entidade que me fez paralisar e perder de repente todo o calor do rosto. Foi o nome junto com a hipótese de por todo esse tempo ele estar vivo. Foi a hipótese de que todas as vezes que eu havia visto dois pontos brancos brilhando no escuro, ao longe, poderia ser ele. Foi a hipótese de ter tido a vida vigiada por aquele ser. Nas férias. Na escola. No acampamento Mine. No treinamento na floresta. Nas explorações de minas com a escola. Sempre que algo brilhava ao longe eu me lembrava dele. Mas nunca a sério. Nunca havia considerado, de verdade, a possibilidade de ele estar vivo.

Percebi que Peter cobria os olhos com as mãos. Olhei para Victor; toda a animação pela piscina havia sumido. Foi João quem voltou a falar.

— Fale para eles o que você viu hoje, Peter.

Ele tremia, mal articulava as palavras. Só conseguiu falar quando busquei um copo com água. De voz embargada e inconstante, começou:

— Antes... preciso mostrar uma coisa a vocês.

Ele foi até o aparelho de tevê, abriu uma gaveta e pegou os óculos do Splinter Cell.

— Herobrine não quebrou esses óculos? — perguntei antes de entender que a mentira estava muito mais funda do que eu poderia imaginar.

E foi isso que Peter admitiu:

— Eu menti. Senão, vocês iriam querer ver a gravação.

— Você está me zoando, moço?

Victor tinha as duas mãos na cabeça, chacoalhava de um lado para o outro.

— Mostre isso logo!

Peter conectou o cabo nos óculos e deu *play* na gravação, que começou quando chegamos ao vilarejo, três anos atrás. Ele adiantou a filmagem para chegar onde importava. Logo depois de eu ter desmaiado pelo soco de Victor.

— VOCÊ ESTÁ LOUCO, VICTOR?

Peter acudiu Felipe, tentando reanimá-lo. Puxou sua cabeça, seus braços, nada.

PAC E MIKE

— Ele só vai ter uma dor de cabeça. Eu precisei fazer algo, ele estava descontrolado!

— Vamos acabar com isso — sugeriu João —, aproveitar que ele já apareceu.

Herobrine estava no topo da igreja; seus dois olhos brancos reluziam e o denunciavam. Talvez ele estivesse ali o tempo todo, observando e se divertindo com a agonia dos quatro meninos.

Victor, deitado no chão sobre Felipe, pegou o frasco em seu bolso e se levantou. João se aproximou dele, enquanto Peter deu alguns passos para trás. Sem nem sentir as pernas direito, perdeu o controle do próprio corpo e cambaleou, caindo sentado a uns dez metros dos três amigos.

Herobrine apareceu cinco metros à frente do trio.

— Victor — disse João —, prepare-se. No três. Não erre.

A passos lentos, Herobrine se aproximava deles.

— SEU IDIOTA! — gritou Felipe, recém-acordado, agarrando os pés de quem lhe dera o soco.

João tentou salvá-lo, mas também caiu, assim como o frasco que estava nas mãos de Victor, que se quebrou ao bater no chão, gerando uma fumaça branca que crescia rapidamente.

Peter levantou-se e correu para longe da fumaça, que não demorou a diminuir. E quando já era possível

enxergar os três amigos, ele percebeu que todos estavam desacordados. Mas a fumaça não atingira apenas os três!

Herobrine se arrastava para sair dali. Uma mão após a outra agarrava-se ao terreno irregular e puxava seu próprio corpo para longe do alcance da poção. Peter observou a poderosa entidade tentando se colocar em pé. Parecia vacilante, faltava-lhe a firmeza das pernas.

De repente, Peter percebeu que essa seria sua chance de salvar todos!

Flanqueou a fumaça para não ser atingido, e com todo o cuidado, aproximou-se pelas costas de Herobrine. A entidade se voltou para ele e ergueu a mão direita, como se pedisse calma.

Ajoelhou-se, e com o indicador escreveu algo na terra.

Peter posicionou o frasco para arremessá-lo. Os olhos de Herobrine brilharam em direção à poção. Pareciam assustados. A entidade caiu de joelhos, colocou as duas mãos no peito e rasgou o próprio corpo, acompanhando o ato com um urro gutural que espantou todos os tipos de animais próximos.

Herobrine acenou em despedida. Seu corpo se desintegrou e ele desapareceu.

Ainda assim, o garoto arremessou a poção.

Inútil.

PAC E MIKE

Depois disso, Peter se sentou e esperou um bom tempo; até que João acordou primeiro. Os dois conversaram sobre o que havia acontecido. Acharam que seria melhor manter segredo, pelo bem de Felipe, que estava perdido.

Peter tirou os óculos e os desligou.

—Como assim, para o meu bem? — comecei mais que ofendido.

Eu estava acabado por eles haverem mentido para mim, por haverem falado que eu estava perdido!

— Felipe, você estava ficando louco — começou João, tentando apaziguar todos.

Mandei-o se ferrar.

— Não, moço. Desculpe, mas não vou ficar dando moral para seu chilique. Todos sabíamos que você estava ficando louco, e foi melhor assim. Quer ficar bravo? Sinto muito. Foi a melhor coisa que fizemos. Você viveu bem durante esses três anos. Agora, deixe de drama e preste atenção que existem coisas muito mais importantes que sua decepção.

PAC E MIKE

O sermão foi tamanho, que eu não soube nem como responder. Olhei para Victor, que também não sabia de nada. Mas a fala de João foi tão imponente, que ele preferiu nem se manifestar. Fui ao banheiro respirar e lavar o rosto para me acalmar. Ao voltar, João pediu desculpas.

— Tudo bem, você tem razão. Estou de cabeça quente, depois a gente resolve isso. Vamos ao que importa — falei.

Não estava tudo bem, muito pelo contrário. Mas o melhor a fazer nesse momento era engolir qualquer discussão idiota para me inteirar, o mais rápido possível, do que Peter tanto tinha medo.

Ele começou a falar:

— Quando acordei, havia um recado no chão da minha sala, escrito com a terra do meu jardim. Ai, gente, só de falar me dá um medo do cão! Mas era tipo assim, numa tradução meio grosseira: "*voltei*".

Victor ameaçou dizer algo, mas Peter não deixou.

— Calma, depois você fala, deixe eu falar tudo de uma vez, porque senão não vou conseguir. Eu segurei isso por anos, moço. Estudei a língua antiga de Mine, que é como ele se comunica. No chão da minha sala estava escrito "*voltei*". No chão da minha cozinha estava escrito algo como "*parabéns*". Pelo livro, claro. Ele sabe... ele está muito irritado... foi irônico comigo.

Naquele dia, na vila, eu não tinha certeza se o havia matado; não queria desesperar vocês. Vocês dois — ele apontou para mim e para Victor — estavam perdendo a cabeça... vocês brigaram, e eu decidi que investigaria tudo isso sozinho.

— Seu animal! — gritou Victor, por fim manifestando um pouco de revolta.

Não era só eu, portanto.

— Pare! Deixe-o terminar — protestou João.

Pela primeira vez na vida, ele estava me deixando irritado. Muito irritado. Peter continuou:

— Lá no vilarejo... só de lembrar eu morro de medo, meu Deus... Herobrine escreveu tipo *"Cuidado. Voltarei"*. Só descobri isso um tempão depois. Eu não sabia direito quando ele ia voltar, nem nada do tipo. Pelo que pesquisei, ele precisava de um bom tempo para recuperar sua força. Ele teve paciência, deve ter se escondido nas minas por muito tempo, e aos poucos, foi ganhando força, foi tendo energia para sair de lá, para nos vigiar... para vir até minha casa. A boa notícia é que ele continua sem poder nos matar. E, por isso, acho que ele nos vigia. Porque nós somos os únicos que podemos acabar com ele de uma vez por todas.

Peter bebeu um gole de água; toda aquela pausa me deixava ainda mais irritado. Cada palavra, cada informação nova que eles esconderam de mim por três anos, tudo isso despertava um eu enterrado havia muito tempo; um eu que havia sido enterrado naquele vilarejo.

— Peter descobriu muitas coisas durante esses anos... algumas nem eu sei. Ele fez de tudo para nos manter seguros e nos prepararmos para o retorno de Herobrine.

— Mas isso não é justo — decidi falar, porque aquela abobrinha não me descia mais. — Nós merecíamos saber! Vivi esses três anos numa boa... eu poderia ter ajudado!

— Será? — retrucou João.

Um questionamento tão curto começou a despertar a dúvida em mim. Será que eles tinham razão?

— Você perdeu a cabeça em uma semana. Imagine em três anos. E esqueça. Já foi. Agradeça a Peter o tempo que você viveu despreocupado. Sinto muito dizer isso, mas esse tempo acabou agora. Por enquanto, pelo menos.

Eu nunca havia visto João assim. Ele estava irredutível, determinado e consciente de todos os perigos. É verdade; no fundo, dava para ver que ele também tinha medo, mas estava determinado a fazer algo, nem que para isso precisasse falar assim comigo e com Victor.

De repente, todas as luzes apagaram.

— Meu Deus! — gritou Peter.

— Por favor!

— Aaaaah! — Victor não se segurou.

— Como assim, Peter? — falou João sem alterar a voz. — Você sabe que é um problema da casa! Victor, Felipe, não se preocupem. Foi o dia inteiro assim. Ainda não está cem por cento pronta.

— Peter, você é louco? Por que gritou, se sabia disso?

— Ai... gente... sei lá, eu tomo susto toda hora com esse negócio. Não está fácil!

Alguns segundos depois, quando as luzes se acenderam, estava todo mundo branco, até João. O coração de todos devia ter disparado, não era possível. Eu jurava que morreria ali mesmo.

Victor, de olhos arregalados e mão no peito, disse:

— Ele deve estar forte para cacete agora. E a culpa é nossa, nós o libertamos!

— Sim e não — respondeu Peter.

Mas antes de continuar, bebeu mais um gole de água, respirou fundo e fez uma careta:

— *Ok, ok*, pelo que eu descobri, tipo assim, o tempo de sono de Herobrine estava para acabar em alguns meses. A única coisa que fizemos mesmo foi acelerar o processo e ter imunidade diante dele. Seria pior se não fôssemos nós.

— Não importa. Eu preciso fazer outras poções daquela, preciso ir.

Eu sentia que estávamos perdendo tempo.

— Não! Ninguém sai daqui! — decretou o dono da casa. — Nenhuma poção vai matá-lo agora, Fê... ele está forte demais. E não podemos andar sozinhos por aí.

— Você disse que ele não pode fazer nada com a gente.

— Ele não, mas seus subordinados, sim.

Nem eu nem ninguém parecia entender direito o que acontecia. Peter se levantou, pegou um exemplar de seu livro na mesa e o abriu.

— Eu não escrevi isso para vender. O conteúdo de defesa, estratégia e armas aqui é real. Tudo, ou pelo menos muita coisa do que a gente aprendeu nas aulas de lendas e mitos, é real. Esqueletos, zumbis, aranhas, *creepers*, tudo isso vai ganhar vida em breve, e em meu livro eu ensino o que aprendi sobre eles. Então, ninguém sai daqui até terminar de ler não só isso, como também o material extra.

— HAHAHA já entendi! Você inventou tudo isso só para a gente ler seu livro, seu bosta. Eu vou ler, mano! Pode deixar! — disse Victor, com algo que começou como uma gargalhada e terminou em um riso nervoso, de quem dá risada porque não quer chorar.

Ninguém respondeu; nem ele acreditou no que falava. A luz se apagou de novo.

Dessa vez, ninguém entrou em pânico. Quase.

Passamos a noite lendo o livro. Quando Victor dormia, nós o acordávamos cada vez de um jeito diferente. Isso serviu para aliviar a tensão. Na primeira, jogamos um copo de água gelada nele. Na segunda, bolinha de papel até cansar. E, depois, jogamos o caderno inteiro. Na terceira, acordamos o moleque no susto: fingimos que Herobrine havia aparecido.

Nunca vi um moleque mais desesperado como Victor quando acordou com o susto. Ele levou alguns minutos para se acalmar, enquanto xingava um por vez de todos os nomes possíveis. E depois, mais alguns minutos para descontar com pescotapa em cada um de nós.

A luz se apagou.

E não voltou.

Dez segundos.

Quinze.

— Peter…

Vinte.

Na piscina, dois círculos brancos brilharam.

O vidro foi destruído.

— AI, MEU DEUS! AI, MEU DEUS! SOCORRO! CORRAM! — gritou Peter.

Com o celular, ele acendeu um tipo de gerador e foi para o outro lado da casa, onde ficava seu quarto. Entrou no banheiro e deu passagem para todos. Abriu a porta embaixo da pia e mandou que entrássemos ali, sem perguntas.

Uma escada levava ao andar inferior.

Só obedeci às ordens.

Peter fechou a porta embaixo da pia. Ativou o alarme na parte interna e desceu as escadas.

— Uau! Que laboratório foda! — pensei em voz alta quando terminei de descer as escadas.

O negócio era de última geração. Deveria ter custado uma fortuna. Como Peter havia sido capaz de fazer tudo aquilo? Eu não parava de pensar em tudo que poderia fazer ali, nos tipos de misturas e criações que todos aqueles equipamentos permitiam. Confesso que senti uma dose de orgulho misturado a inveja.

— Peter — disse João —, eu não sabia que você tinha...

— Lembra quando você viu a planta da minha casa? Eu não mudei o projeto. Você só viu invertido. O que achou que era em cima era embaixo. Eu tive ajuda do governo.

— Governo?! — indagou Victor. — Como assim?

— Fiz um trato. Eu contava tudo que sabia e eles me davam apoio em troca. Apoiaram o livro, por isso

está em todas as emissoras de tevê. E me apoiaram com equipamento. Eles têm suas próprias experiências e construções, vocês não têm ideia do medo que eu tive, sozinho, tendo que fingir que era muito maduro, que sabia o que fazer. É tão bom poder voltar a ser eu mesmo!

— É muita viagem, Peter. Mas, e agora, o que a gente faz aqui?

— Este laboratório foi construído para resistir a Herobrine. Mas duvido que vá durar muito tempo. Estamos ferrados! Precisamos pegar as coisas mais importantes e sair. Um minuto...

Peter foi até um dos computadores e abriu as câmeras da casa em um dos monitores.

— Mano!

— Moço do céu — falei.

— O que... Peter... o que são esses... — João gaguejava. Deduzi que nem ele esperava o que estávamos vendo ali.

— Ai, meu Deus! É isso mesmo! Está acontecendo!

Ele não parava de gritar e correr de um lado para outro, até que o agarrei e pedi por favor que falasse.

— As criaturas... as criaturas do Herobrine invadiram minha casa! É o fim! Não vamos conseguir escapar daqui. A saída subterrânea ainda não está terminada, e mesmo que estivesse, duvido que conseguiríamos.

— O que fazemos agora? — perguntei.

Um tremor atingiu a casa. O barulho de móveis, vidros e objetos quebrando chegava até o laboratório, onde as luzes se acendiam e apagavam constantemente. O alarme da casa estava disparado, tudo parecia um caos completo. E o pior, eu sabia: era só o começo.

— Nós... nós... precisamos pegar as armas, ingredientes, tudo que for útil, usar um dos portais e o único que pode derrotar Herobrine: o irmão dele, Steve!

— Quem diabos é Steve?

— Victor, você não leu nem o começo do livro? — eu me intrometi. — Moço, Steve é o irmão de Herobrine!

— E como a gente vai achar esse Zé?

Peter ergueu a mão, como quem pede a palavra, e sentenciou.

— Eu já o encontrei.

As luzes não paravam de piscar; acende-apaga-acende-apaga. Eu tinha certeza de que Herobrine ia invadir o *bunker* a qualquer instante, e o maldito Peter não abria a boca para explicar onde havia escondido o tal irmão. Corri até ele e sacudi aquele corpo saliente até que ele falou:

— Eu não posso contar. Se Herobrine estiver ouvindo, ele vai matar Steve! Steve está fraco, eu o descobri semanas atrás. Precisa de tempo! Nós precisamos conseguir tempo para ele!

— Você está maluco. Como Herobrine vai nos ouvir aqui!? — perguntou Victor.

Ele me deixava mais nervoso ainda, pois não parava de andar de um lado para outro.

— Peter tem razão!

— Você também está maluco, João?

— Não sabemos o tamanho do poder de Herobrine. Ele passou esses anos fugindo e ganhando mais e mais força. Se ele pegar Steve agora, é o fim.

Tremi diante das palavras do mais sensato dos meus amigos. Pela primeira vez, a possibilidade de o mundo como eu conhecia acabar me pareceu real. Ninguém estava a salvo, nem eu, nem eles, nem meus pais, ninguém. E pelo que eu sabia, no mundo inteiro, nós éramos os únicos a quem Herobrine não podia matar.

No *bunker*, tudo era cinza e cheio de computadores. Havia duas portas. O dono da casa disse que a da direita levava para os laboratórios de testes e a da esquerda para o depósito e um local secreto. Perguntei qual segredo escondia; nós precisávamos saber.

Na mesma hora, ouvimos uma explosão.

Eles vão entrar aqui!

— Abram esse armário, peguem as armas. Tem de tudo ali: espada, arco e flecha, e até uma arma de fogo.

— Arma de fogo? Você é louco?

Essas coisas eram proibidas pelo governo e ninguém tinha acesso a elas; eram muito caras e raras.

Victor pegou a única pistola e a guardou na cintura. Pegou também uma espada. João selecionou aquilo com que treinara toda sua vida: arco e flecha. Eu peguei uma espada, para prevenir, mas corri ao laboratório e agarrei tudo que fosse útil para criar poções, como fungo de *nether*, raspas de fogo, resíduos de água, sementes de melancia e outros ingredientes.

— Peter, o que fazemos agora? — perguntei logo que saí do laboratório.

— Moços, só há uma saída, e vocês vão ter que confiar em mim.

Lá vem mais uma. João concordou com a cabeça. Como ele podia estar tão calmo numa hora dessas? E Victor não parava de chacoalhar os braços, parecia meio fora de si. Como eu poderia julgá-lo? Só percebi o quanto eu beliscava minha própria mão quando não aguentei mais de dor.

— Lembram quando o professor Aurélio falou sobre portais?

Mentira que esse doido ia cogitar isso mesmo!

— Então... é nossa única saída. Eu tenho dois portais. Um deles está quase pronto, o outro está em construção.

— Como você conseguiu tudo isso? — pareceu-me a coisa mais óbvia a dizer.

— Eu explico...

Ouvimos outra explosão, e a porta que bloqueava a escada despencou no chão.

— Corram! Vão para a última sala! Felipe, ligue o computador e siga as instruções. É fácil! Vocês, vão para um lugar seguro!

Ele deu as costas e saiu correndo. Antes de conseguir perguntar qualquer coisa, ouvi o barulho de algo descendo as escadas. João me puxou, e de relance, enxerguei um vulto verde atrás de mim, caindo pelo buraco.

Passamos quatro diferentes portas até chegarmos à última. Victor já estava ali dentro havia certo tempo, tentando ligar os computadores.

— Não dá! A energia está caindo e esse lixo não liga!

— Cuide da porta! Cuide da porta!

Os dois fecharam a porta e se encostaram nela, impedindo que alguém tentasse entrar.

— Em algum lugar há um gerador! Em algum lugar... Em algum lugar!

— ERRRRRRRRRRG!

O grito proveniente do corredor fez minhas pernas perderem o equilíbrio e eu quase caí. Olhei para meus amigos e percebi que estávamos todos na mesma: se eu não ligasse esse portal, todos iam morrer.

— Acelere essa merda, Felipe!

— Achei!

Embaixo da mesa, havia um gerador próprio para o único computador da sala. Na parede do outro lado, uma construção de uns dois metros de altura e um de largura, feita de pedra de um roxo quase preto. No meio, o vazio. Era ali que o portal nasceria.

— Fê, eles estão aqui. Não demore.

As criaturas começaram a bater na porta, tentando derrubá-la. João e Victor faziam o máximo para tentar

segurá-las do lado de fora. De minha parte, segui os passos no computador. Não era difícil, Peter havia deixado tudo acessível.

Peter!

— Moços, e Peter?!?!

Pela cara dos dois, nenhum deles havia pensado nisso. Onde ou como o amigo estaria.

— Não podemos ir sem ele!

— Felipe... — Victor fechou os olhos e comprimiu os lábios —, eu sinto muito, mas Peter vai precisar achar outra saída. Se nós abrirmos esta porta, vamos morrer. Isso é fato.

Olhei para João, que parecia não ter resposta. Se nem João disse o contrário era porque o caminho era mesmo intransponível. Ele apenas concordou com a cabeça.

Não era possível... Voltei para o computador, precisava esquecer Peter ou todos nós morreríamos ali mesmo.

Carregando.

10%

25%

50%

A porta estourou e os dois foram jogados para longe, próximo ao portal.

Os olhos brancos e brilhantes denunciaram quem havia sido o responsável. De repente, ele dobrou os joelhos, parecia agonizar. Urrou; parecia sentir dor. Pude ver uma mão puxá-lo para trás.

É claro! Ele não nos atingira! Ele não podia nos atingir!

Corri para o portal. Faltava só 20%.

No fim do corredor pude ver Herobrine sendo levado embora pelas criaturas verdes. Quando não mais conseguia vê-las, um bicho apareceu correndo em alta velocidade para cima de nós. Preto, oito patas, uma aranha gigante!

Puxei os dois desmaiados pelo colarinho até próximo do portal.

A aranha atravessou a porta.

O portal se abriu.

Com toda minha força, arrastei meus amigos junto de mim e entramos no portal. Pude ver o monstro pulando em nossa direção e um agudo grito longe, muito longe, cada vez se distanciando mais.

A magia dos portais não suportava aranhas.

Enquanto viajávamos por um universo roxo, que nos atirava de baixo para cima e de cima para baixo, assim como de um lado para o outro, o único pensamento que circulava em minha cabeça era onde diabos estava Peter.

CAPÍTULO 8

Acordei, perdido no tempo e no espaço. Olhei para os lados: árvores e grama, muita grama. Ninguém estava comigo. Levantei, olhei para todos os lados! Ninguém! Onde estou? Não, não, não! Será que o portal havia nos separado? Que mer...

— Ei, Fê, calma, estou aqui.

João estava atrás de algumas árvores. Respirei aliviado; o medo era tanto, que qualquer coisa derrubava minha confiança.

— Victor foi inspecionar as redondezas e eu fiquei para vigiar você.

— Obrigado. Vocês sabem onde estamos?

— Não... ainda não. Acho que estamos um pouco longe da nossa cidade; essas árvores não existem lá por perto. Ninguém passou aqui nessas horas. Ou estamos muito afastados de qualquer civilização e ninguém anda por aqui com frequência, ou há algo de muito errado neste lugar onde estamos.

Balancei a cabeça e dei um sorriso de canto, daqueles que a gente dá por não saber como reagir em uma situação desconhecida. Sentamos no pé de uma árvore e conversamos durante muito tempo.

— Eu... eu achava que teria uma vida normal, sabe, Fê? Cuidar das pessoas, como meus pais fazem. Viajar pelo mundo, conhecer culturas diferentes, aprender novas línguas e novas experiências. O mundo é muito grande e tem muita coisa boa para viver. É triste, muito triste que tudo isto esteja acontecendo. Tomara que Herobrine seja pego o mais rápido possível. O que ele poderia fazer ao longo de meses ou anos... é difícil de pensar, de imaginar. Acabar com um mundo inteiro... quem poderia imaginar que existiria um ser tão poderoso assim? Eu... eu só espero que nosso escritor esteja bem.

João falou mais e mais e mais. Fazia muito tempo, ou talvez nunca, que ele não se abria por tanto tempo. Senti que seu desabafo era necessário para colocar um pouco dos sentimentos para fora e ficar mais leve.

Ele sempre foi um amigo extraordinário, dos melhores, que nos apoiava em tudo, a cada um de nós. Foi o que mais apoiou Peter a escrever o livro, era o que mais se interessava pelas minhas poções e criações. Eu já havia feito o coitado me ouvir por uma tarde inteira explicando coisas que nem sabia se lhe interessavam. Sem falar em Victor, que ele acompanhava na academia e nas lutas.

Quando, num momento inconsciente, derrubei algumas lágrimas, ele estendeu a mão até meu ombro e disse que estaria sempre ali para tudo. Não podia garantir que as coisas ficariam bem, mas garantia que teríamos uns aos outros.

— Desculpe o jeito que falei antes. Sei que pode não parecer, mas eu estava muito nervoso, fora de mim de tanto medo.

— Eu é que preciso pedir desculpas, João.

Depois disso, Victor não demorou muito para chegar.

— Achei um negócio muito louco. Macabro. Vocês precisam ver. Não vai demorar para escurecer também e temos que dormir.

Seguimos pela trilha que Victor indicou; passamos por algumas paisagens que eu nunca havia visto: cachoeiras, morros e vales. A certeza de que estávamos longe de casa era cada vez maior, assim como as perguntas em nossa cabeça sobre o que acontecia.

No horizonte, pude ver algumas casas e construções.

— É ali, seus Zés.

Quanto mais nos aproximávamos, mais estranho tudo ficava. O caminho estava cheio de madeira despedaçada, roupas espalhadas e lixo de todas as formas: comida, bebidas, plástico, papel. O lugar estava abandonado havia tempos.

— Victor? — chamei.

— Sim. E o mais estranho: não há ninguém ali! Ninguém!

Atento a qualquer movimento, empunhei minha espada. João puxou seu arco e ficou preparado para qualquer ataque. Victor segurava sua pistola, que eu nem tinha certeza de que ele sabia usar.

O lugar era um vilarejo com algumas casas de tijolo. A maioria havia sido construída de madeira, e por isso estava bastante danificada, cheia de buracos e telhados quebrados. Entrei na primeira, uma construção pequena que um dia devia ter sido aconchegante. Agora só restavam cocô de rato e os próprios animais, que habitavam um lugar destruído, fedido e dotado de uma angústia estranha, assim mesmo, meio sem explicação.

Em uma das janelas, uma madeira mais clara estava pendurada, e nela as palavras:

Fuja! Esta casa não é segura! NÃO É SEGURA!

— Pessoal? João? Victor?

De dentro de um quarto, João saiu e contou que lá também havia algo escrito: "Não durma aqui!". Lá fora, Victor nos chamou e avisou que recados do tipo estavam espalhados por todo o vilarejo, com exceção de um pequeno casebre construído com ferro e vidros reforçados, que ficava na parte oeste da cidade.

— É o seguinte: o sol vai sumir, e lá é o único lugar com placas não tão assustadoras, falando que não é seguro.

Fomos até lá. Não dava para chamar aquilo nem de casebre. O cômodo só tinha uma cama de casal, com aquele colchão dobrável e... mais nada. Cabiam, não sei, duas ou três pessoas na cama, e umas cinco, no máximo, em pé ou sentadas com as pernas umas em cima das outras.

— Moços, há só um problema: precisamos achar comida — disse João.

— Eu... matei um coelho no caminho e o guardei aqui perto. Vou buscá-lo e já volto.

— Caramba, você matou um coelho?

Victor me olhou da ponta dos pés até a ponta dos meus cabelos e decretou:

— Sem comida para você, seu Zé.

— Caramba, Victor! Que demora! Você nos deixou preo...

De novo ele me olhou da ponta dos pés até a ponta dos meus cabelos, esticou a mão direita, onde segurava dois coelhos, e decretou:

— Sem comida para você, seu Zé.

João caiu na gargalhada.

— Ou melhor: você é quem vai tirar a pele do bichinho para assar.

— Sai fora! Vá se fo...

— GRRRRRUUUUUUUU — eclodiu pela floresta no exato momento em que o sol se pôs.

O grito foi de tamanho impacto, que era visível em nosso rosto: ninguém mais riu ou se lembrou de limpar o coelho. Parecia uma convocação, como se fosse permitido, a partir de então, que todas as criaturas habitassem aquele mundo.

Eu não saberia dizer se a névoa que se espalhou pelo vilarejo foi porque estávamos em um vale rodeado por montanhas ou por causa das misteriosas criaturas que por ali passeavam.

— Eu pego o primeiro turno, estou mais descansado — falei.

Victor concordou, largou o coelho no canto da porta e se deitou, tampando os ouvidos com uma almofada para não ouvir o barulho e zumbidos que provinham de fora.

João, sentado na ponta da cama, tirou os tênis e falou:

— Amanhã eu acordo bem cedo, procuro informações pelas casas sobre onde estamos e como podemos voltar para a cidade. Pode deixar que eu limpo o bichinho e a gente assa amanhã cedo. Precisamos comer algo.

Minha barriga gritou tão alto quanto a criatura de antes.

Principalmente você!

Estendi um isqueiro, que eu mesmo construíra com uma barra de ferro e pederneira, para facilitar acender o fogo no dia seguinte. João sorriu sem jeito e se deitou. Eu me sentei ao pé da cama e vi, pela primeira vez, a marca vermelha que havia na minha mão esquerda. Quando ainda na casa de Peter, eu me beliscara tão forte, que chegara a criar essa ferida. Não sei por qual motivo idiota passei um bom tempo cutucando-a, tentando me entreter e não pensar no que acontecia com o mundo.

Que lugar é esse em que estamos? Por que fomos mandados para cá? Onde estão as pessoas? É possível que Herobrine tenha dominado esse lugar antes de nossa cidade? Será que ele fez daqui seu local para ganhar força? E a pergunta que mais me atormentava desde o momento que havíamos entrado no portal: onde estava Peter? Será que ele havia morr... não, eu não ia pensar nisso! Precisava me concentrar nas coisas boas.

O grande problema era que eu já não enxergava nenhuma coisa boa.

O tempo que passei acordado foi de lembranças em meio aos gritos e passos que algumas coisas davam lá fora. Por mais estranho que possa parecer, eu consegui pensar em boas memórias, talvez por causa da conversa que havia tido com João mais cedo.

Lembrei de meu pai dizendo, uns dois anos atrás, quando eu tinha uns quinze e eles haviam ido viajar. "Chame seus amigos, marque esse dia, faça o que quiser, tenha uma boa história para não poder nos contar." E eu chamei meus moços; eles pediram permissão no internato, minha mãe assinou, e naquele dia pedimos duas *pizzas* gigantes e jogamos Diablo até cansar. Naquele dia eu soube que aqueles três seriam meus amigos pelo resto da vida, não pelo jogo ou pela *pizza*, mas porque, depois de tudo, fomos ver o nascer do sol em um tipo de farol que havia perto da minha casa, e lá cada um contou o que queria ser na vida.

Eu, um cientista; mas não só um cientista de laboratório. Um cientista que saísse por aí conhecendo e descobrindo a natureza. Um naturalista. João, como bem contou, um médico viajante; o mundo ganharia muito com isso. Victor não tinha certeza, poderia levar a sério a luta e se tornar um profissional ou trabalhar com esportes

de alguma maneira. Sua maior vontade, revelara ele num momento de honestidade, era ter uma família e filhos. E Peter, óbvio, Peter queria ser um contador de histórias, autor de livros, filmes e jogos. Seria um dos melhores.

Será um dos melhores.

Esteja vivo, Peter.

— Ei, mané, está na hora de acordar!

De olhos embaçados, vi Victor pulando na cama e me batendo com o travesseiro. Passei-lhe uma rasteira, e ele quase caiu no chão. Xingou-me de tudo quanto era nome e disse que ia me pegar na saída da escola, para depois cair no riso.

Logo que levantei, pude sentir o cheiro maravilhoso de comida. João estava lá fora preparando o café da manhã. Fui até lá e dei bom-dia. Ele me estendeu um cantil cheio de água.

— Bom-dia, Fê. Achei muita coisa. Estávamos esperando você para contar. Acho melhor falar agora, porque se o estômago de vocês der ruim, ainda não tem nada aí dentro.

Arregalei os olhos e passei os dedos neles para ver se acordava direito. Bocejei alto, sentei-me e falei que podia mandar ver.

— Vou ser direto, beleza? Sei que não sou muito assim, mas não há como rodear.

Concordei com a cabeça, e Victor disse para parar de frescura.

— Beleza. Então… nós estamos a mais de quinhentos quilômetros de casa, e…

— Mentira!! — interrompi.

— Calma… — João continuou —, e estamos dois anos no futuro.

— O QUÊ?!

— CALE A BOCA, SEU MALUCO!

Não, não era possível. João estava de sacanagem, só podia ser! Mas, não, não, ele não era de sacanear com essas coisas. Como assim? Dois anos? Não acredito! Peter? Meus pais! Onde estavam meus pais? O mundo? Como estava o mundo? Por isso tudo ali estava abandonado? Por isso aquelas criaturas haviam comandado tudo? As pessoas… onde estavam as pessoas?

Enquanto eu pensava, Victor fazia questão de falar tudo que passava por sua cabeça, e nada era muito educado. João continuou.

— Eu sei... quando descobri, fiquei… p… pasmo. Mas confirmei. Achei vários calendários, vários arquivos em computadores com data posterior a quando entramos no portal. E… um diário, onde estava tudo escrito… desde o começo até o fim deste vilarejo.

— Você está com ele aí? — perguntei.

— Claro, claro!

João me estendeu o diário. Passei uns bons minutos lendo trechos dos relatos. Pelo visto, havia ocorrido um grande incidente na capital, onde morávamos, afetando centenas de pessoas. E o culpado havia sido ele, Herobrine. A tevê demorara para aceitar a ideia; só aceitara quando filmaram, ao vivo, os olhos brancos brilhantes daquele ser maldito. Depois disso, as televisões da capital foram desabilitadas, e pouco a pouco o mundo se tornara caótico e as criaturas noturnas ganharam espaço, expulsando os humanos de suas cidades. Não demorara para o governo local ser dizimado e Herobrine virar um tipo de rei não oficial. Até o fim do diário, ele já havia dominado uma parte considerável do mundo e expandia suas conquistas. Mas faltava um longo caminho para se proliferar por todo o mundo Mine.

Foi quando tive um fio de esperança de meus pais estarem a salvo.

— Eu sei que vocês estão em choque, mas precisamos voltar para nossa cidade. Eu achei um carro funcionando do outro lado do vilarejo. Victor sabe dirigir, e encontrei alguns galões de gasolina. Se sairmos agora, poderemos chegar a tempo de procurar Peter e encontrar um lugar seguro.

Concordei com a cabeça, zonzo com a quantidade de informações. Comemos um pouco, pegamos o colchão dobrável e fizemos o que João havia dito. Victor era o único que sabia dirigir, e nós, que tanto sonhávamos com uma *road trip* de amigos, passamos todo o percurso em completo silêncio.

No caminho, passamos por vários locais e cidades destruídas. Paramos para esticar as pernas e logo retomamos, com pouca conversa e uma apreensão que, se fosse possível, se materializaria e se sentaria no banco de trás comigo.

Ao longe, os prédios se destacavam, e foi possível ver vários deles partidos ao meio. Assim mesmo. Como se tivessem sido cortados com um facão. Quanto mais perto chegávamos, mais crescia a certeza de que aquele lugar estava deserto, sem uma viv'alma que fosse.

Se meus pais estavam… vivos… haviam passado dois anos me procurando?

— Para onde eu vou? — perguntou Victor, sem denunciar nenhuma grande surpresa pelo que via.

— Vamos para perto da escola, perto da minha casa — falei. — Se Peter veio para o mesmo ano que nós, ele iria para lá. Ou deixaria um recado, sei lá.

João concordou sem nenhuma palavra, com um leve balançar de cabeça. Victor o seguiu, e assim, tão rápido e sem nenhuma contestação, nosso percurso estava decidido. Continuamos em silêncio, mas a expressão de cada um denunciava o que era ver destruídos lugares que todos nós já havíamos visitado. Não, destruídos era pouco. Os lugares estavam totalmente acabados. A loja de tecnologia, a *lan house* e o mercadinho do lado tão massacrados, que era difícil identificar onde começava um e acabava o outro.

Blocos de construções maiores que nosso carro bloqueavam viadutos e ruas; árvores fechavam

esquinas, e parques verdes se expandiam do seu antigo local e criavam raízes e gramas nas calçadas e até em alguns asfaltos.

Quando viramos a esquina da minha casa, Victor freou.

— O que foi? — perguntei, e logo fui empunhando a espada que estava ao meu lado no banco.

— Felipe — ele respondeu —, isso não significa nada, *ok?*

Estiquei o pescoço para o meio do carro. No espaço onde antes existira minha casa havia um buraco de meio quarteirão.

Saí do carro, em meio aos gritos dos dois, e corri para onde um dia eu havia passado toda a minha vida. Gostaria, mas não posso nem dizer que encontrei qualquer vestígio de qualquer coisa minha ou dos meus pais. Pó, pedra e terra. Tudo o que pude sentir em minhas mãos era isso... pó, pedra e terra.

Eles me deram os minutos que necessitei, levaram--me pelos ombros, colocaram-me no carro e fomos até a escola, onde encontramos algo que dava para chamar de abrigo: uma sala de aula.

João e Victor planejaram passar a noite ali; procuraram alguma coisa que desse para comer e encontraram salgadinhos e água. Espalharam cartazes pela escola, para o caso de Peter aparecer. Depois, pegaram madeira

das cadeiras e mesas que resistiram e bloquearam todas as possíveis entradas. Inclusive as janelas, mesmo que estivéssemos no segundo andar.

Enquanto isso, fiquei deitado no colchão que havíamos pegado no vilarejo. João ficaria com o primeiro turno. Victor, com o segundo. Eu com o terceiro. Tentei, com todas as minhas forças, tirar da minha cabeça a imagem daquele buraco; tentei reconstruir aquela rua como eu sempre a conhecera.

Falhei.

E de tanto falhar, acabei dormindo.

Senti a textura das pedras sob meus pés descalços; o pó da terra beliscava minha pele, e por algum motivo desconhecido, eu corria. Quando olhei para trás e vi o que me perseguia, percebi que, mais uma vez, o pesadelo de sempre resolvera me pagar uma visita.

Mas não importava saber que era um sonho. O simples fato de ver os dois olhos reluzentes fez meu coração correr mais que eu mesmo e avistar o precipício à minha frente. Lembro de pensar, toda vez ao acordar: por que diabos eu me jogava no precipício?

Porque até isso era melhor que ser pego por Herobrine.

PAC E MIKE

Ao menos, esse era o sentimento que eu tinha dentro do sonho. Talvez fosse algo que eu não poderia entender fora dele, porque lá a criatura não poderia me matar.

Eu pisava em pedras pontiagudas, que cortavam meus pés; ainda assim, não diminuía o ritmo. Na beira do precipício, forcei minhas pernas para saltar o mais rápido e forte possível. Quando meu corpo começou a cair, um ser me pegou pelo peito e me levou de volta para a terra firme.

Ele corria comigo em seus braços. Consegui perceber que era uma pessoa normal, sem olhos brilhantes ou corpo monstruoso ou qualquer estranheza aparente. Mas tinha uma força e uma velocidade incomuns. Por alguma razão, senti que era Steve.

Ele não disse nada; talvez não soubesse falar, ou talvez apenas não tivesse o que comentar. Herobrine continuava em nossa cola, até que Steve me soltou, virou e pulou em direção a seu irmão, com o punho em riste.

CAPÍTULO 9

—Felipe — Victor sussurrou em meu ouvido enquanto me acordava.

Abri os olhos sem entender o que acontecia, mas com a certeza de que algo de errado pairava no ar. Ele jamais me acordaria desse jeito se estivéssemos em uma situação comum.

— A gente ouviu gritos lá de baixo. Pode ser Peter. Você tem que decidir se vamos.

Saltei da cama, empunhei minha espada, olhei para meus dois amigos e balancei a cabeça. Cada um pegou suas armas. Com os dedos, contei até três.

João abriu a porta, Victor e eu fomos à frente.

PAC E MIKE

O corredor estava vazio. Escuro, com estilhaços de madeira por todos os lados. João cobria nossas costas com seu arco e flecha. Eu fiquei responsável pelas salas de aula do lado direito. O lado esquerdo tinha apenas mureta, como se fosse uma varanda. Claro, muitos pontos estavam quebrados, e se a pessoa fosse um tanto desatenta, poderia cair do segundo andar.

Chegávamos ao cruzamento que daria para o outro corredor no segundo andar. A planta da escola era como um L e tinha três escadas, uma em cada ponta e outra no centro.

Controlando até a respiração, verifiquei a escada central. Limpo. Dois passos e viraríamos no outro corredor. A espada em minha mão balançava de tanto tremor.

Olhei para trás. Com as mãos, João pediu cuidado.

Victor sacou a pistola.

A curva era para a esquerda; encostamos na parede da direita, para ganhar espaço e tempo caso as criaturas estivessem ali.

Arrastando os pés, consegui enxergar, aos poucos, o outro corredor. Estava livre. Mais um pouco. Livre. Mais um pouco. Livre. Quase tudo...

Livre.

— O que é isso? — João, atrás de nós, notou algumas gotas de sangue no chão. — Isto não estava aqui antes.

Dei meia-volta e corri para a escada. Poderia ser Peter! E mesmo se não fosse, poderia ser alguém vivo!

Ouvi os passos dos dois me seguindo e não parei de correr até fazer o contorno na escada e ver, de costas para mim, uma criatura verde, de aspecto podre, mas com um corpo parecido com o de um humano. Era o mesmo tipo de coisa que eu havia visto de relance no laboratório de Peter.

Devagar, eu me aproximei; ele permanecia de costas. Deu uma leve guinada para a esquerda, e eu para a direita.

Três metros. Dois metros. Um metro.

Saltei e finquei a espada nas costas do monstro, que caiu no chão, sem tempo para agonizar. Senti meu coração pulsando a mil, uma adrenalina estranha de algo que nunca havia vivido; uma força desconhecida passou a tomar meu corpo e senti que eu era capaz de tudo!

Até que, quando cheguei ao pé da escada, olhei para a direita; nada. Só uma parede a poucos metros, que virava e seguia outro corredor. Olhei para a esquerda, e à distância de vinte metros, vi cinco ou seis desses zumbis e duas aranhas gigantes.

Dei um passo para trás.

Para o meu azar, tarde demais.

Eles me viram.

Todos correram em minha direção.

— Fuuuuuujaaaaaam!!!

Subi a escada mais rápido do que jamais correra em toda a minha vida, puxando e chamando meus dois amigos; a única coisa que vi foi a boca apavorada de Victor, seu queixo quase caído no chão e a falta de reação de João, que não se moveu. No topo da escada, chamei.

— João! João! Ande!

Nada! Victor, no meio do caminho, desceu e o puxou pela camisa. Antes de ele ultrapassar a porta, avisou:

— A aranha! Corra!

Eu estava quase na metade do corredor quando olhei para trás e vi João fechando a porta. Ele empurrou uma mesa para tentar bloquear os monstros, e três passos depois do corredor, a porta foi arrebentada por duas aranhas que deviam ter se atirado nela.

João armou a flecha e atirou.

Acertou uma, que caiu.

A outra continuou sua caçada.

— ABAIXE! — gritou Victor.

João obedeceu, e antes que eu pudesse entender a ordem, ouvi o disparo da pistola, muito mais alto do que eu poderia prever. Em cheio.

— Corram! O barulho!

Eles entenderam o que havia querido dizer: o som atrairia outras criaturas, isso era óbvio. Entramos em uma das salas para pensar em um plano.

— Sei lá de quem é o sangue — falei —, mas precisamos ajudar.

— Isso é óbvio! Só que antes temos que sair daqui com vida, porra.

— Victor, Victor, obrigado por me salvar. Muito obrigado!

— Relaxe, João. Só que, pelo amor, né, não durma, moço.

PAC E MIKE

A velocidade da respiração de todos ali era equivalente a quanto havíamos corrido nos últimos segundos. Ninguém parecia ter ideia de como sair, o que mais necessitávamos era tempo para refletir sobre tudo que estava acontecendo, para preparar uma estratégia e...

— Felipe! João! Victor! Socorro!

O grito proveio do corredor.

— É ele! — falei.

— É Peter!

João abriu um sorriso de orelha a orelha.

— O maldito está vivo!

Trocamos olhares, e juntos, concordamos com a cabeça. Ninguém precisou dizer nada. Estava claro o significado daqueles gestos.

João abriu a porta e Victor pulou para fora, empunhando a espada e cortando ao meio o primeiro zumbi que viu. Fiz o mesmo e cobri suas costas. Um dos monstrengos verdes tentou atacá-lo por trás, então, dobrei os joelhos e ergui a espada, enfiando-a dentro do peito daquela coisa esquisita. João, ereto como todo arqueiro, deu dois passos laterais para fora da sala e atirou.

Uma. Duas. Três flechas antes que eu pudesse levantar e atacar o próximo zumbi. Sua rapidez era incrível! Enquanto eu lutava contra um, ele já havia

derrubado o triplo, de longe, sem correr riscos. Victor foi me ajudar e matou o zumbi com o qual eu brigava; correu e pulou para o próximo, cruzando a espada do ombro direito até o lado esquerdo da cintura, sem tempo para pensar. Com a ponta da espada quase no chão, ele a girou da esquerda para a direita, por cima da cabeça e decapitou outro que pulava em cima.

Os zumbis poderiam ser adversários para mim, mas, para eles... não eram nada demais. Anos de treinamento e dedicação se provavam úteis. E eu? Um zero à esquerda com uma espada na mão.

"Já sei! Minhas poções!", pensei.

João correu pelo corredor seguindo a trilha de sangue, eliminando o que via em seu caminho. Victor correu até ele e o protegeu dos zumbis que escapavam de suas flechas. Eu fiquei atrás, preparando uma poção com os ingredientes que havia pegado no laboratório de Peter.

O sangue seguia até o outro corredor, onde viramos; mais alguns zumbis estavam lá, no final, na última porta. Não era preciso ser um gênio para saber que era naquela sala que Peter estava escondido.

João mostrou, mais uma vez, o excepcional arqueiro que era e eliminou quatro zumbis antes de os outros dez (Doze? Quinze?) olharem para trás. Não sobrou um parado, todos correram até nós. O arqueiro continuou eliminando um por um, até que...

— Moços... acabaram as flechas.

Meu coração gelou, até ver Victor tomando as rédeas e eliminando os quatro zumbis que sobraram. Fomos até a metade do caminho, e de lá, caminhamos para onde Peter estava. Ele abriu a porta, e a alguns metros de nós, soltou um baita sorriso, mesmo com vestígios de sangue por toda a roupa.

De repente, sua expressão mudou para o oposto: sua boca tentava dizer algo, seus olhos denunciavam... seu indicador da mão direita apontou para trás de nós.

— Cuidado!

Num mar de escuridão, incontáveis pernas corriam em nossa direção. Não adiantava fugir, as aranhas derrubariam a porta. Victor não conseguiria só com a espada, e João não tinha flechas.

Respirei fundo.

Estava em minhas mãos.

Peguei o cantil vazio, coloquei creme de magma, que é um ingrediente inflamável, óleo em pó, arranquei uma parte da manga da minha blusa, inseri-a no cantil e deixei parte do tecido para fora. Puxei o isqueiro, acendi e arremessei o cantil nas aranhas.

Explodiu. Uma luz, um calor, dezenas de guinchos desesperados de aranhas gigantes.

— Genial, seu Zé Ruela! — gritou Victor.

— Fê, você se superou.

Todas as aranhas estavam mortas. Ufa! Deu certo!

Aos prantos, Peter nos abraçou e entramos na sala.

Ele estava com a roupa cheia de sangue, machucados por todo o corpo, mal conseguia falar.

— Peter, fique quieto. Nada de esforço, você precisa de curativos. Vou à enfermaria buscar as coisas.

— Tem certeza, João? — perguntei.

Ele pareceu um tanto relutante, mas continuou.

— Peter, seguinte: você estava andando pela escola. Nós matamos uns vinte, vinte e cinco zumbis e todas aquelas aranhas. Há muito mais coisa aqui na escola?

Peter chacoalhou a cabeça em negativa.

— Beleza. Victor, venha comigo. Fê, cuide dele.

Entreguei minha espada a João, para uma emergência. Vi os dois fecharem a porta e serem recebidos por um grito de zumbi. Torci, de todo coração, que fosse só um.

Eu tentava manter Peter acordado tirando sarro de qualquer coisa que pudesse. Até que, com as mãos, ele pediu para eu me aproximar. Coloquei o ouvido próximo à sua boca e ele falou:

— A gente... a gente... precisa... precisa... achar...
minha camiseta do Homem-Aranha.

— Você é um idiota mesmo, né?

Só então reparei que ele vestia uma camiseta preta
com dois olhos brancos. Era a camiseta do Venom!
Ainda parecia que ele usava sutiã!

Alguns minutos depois, a porta se abriu.

Os dois voltaram. João carregava uma sacola cheia
de gaze, agulhas e remédios. E Victor carregava o colchão e todo o resto que havíamos deixado na outra sala.

— Esse moço é muito certinho — começou Victor.
— Eu queria dar um susto em vocês, fingir que morri,
mas ele não deixou.

— Verdade! Nossa! Seria uma brincadeira muito
massa, Victor — falei, fazendo uma careta de doido.

Ouvi alguns xingamentos, lógico.

João pediu para nos afastarmos e começou a cuidar
de Peter, que reclamava toda hora que uma agulha o tocava, uma gaze o limpava, ou até quando simplesmente
nada acontecia. Ao terminar, o reclamão tomou um
remédio para dormir. Cansado, João também dormiu.
Assumi a primeira vigília, morto de curiosidade para
saber o que havia acontecido com Peter. Seria possível
que ele tivesse alguma notícia boa?

CAPÍTULO 10

Eu havia trocado de posto com Victor; dormi e ele ficou acordado por duas horas. Quando me acordou, deixei que dormisse mais duas horas. E então, ia me vingar do que ele havia feito comigo lá na vila. Peguei só um pouquinho de creme de magma e passei no rosto dele.

1... 2... 3...

— Meu Deus! Meu Deus! Meu rosto! Está queimando! Queimando! Meu rosto!

No outro canto da sala minha gargalhada explodiu, e não sei se foi isso ou os gritos de Victor que acordaram João e Peter.

PAC E MIKE

— Isso é para você aprender a nunca mais me acordar no susto!

— Eu juro, eu juro que vou matá-lo. Depois que parar de queimar, seu Zé!

Pude ver um sorriso no rosto de João e até no de Peter. Saí do quarto para fugir de Victor e procurar qualquer coisa que pudesse indicar onde estava Herobrine, qual o tamanho do seu império e o que poderíamos fazer.

Os corpos das criaturas que haviam sido expostos ao sol derreteram e fediam como um chiqueiro de porco em dia de laxante grátis. Arrastei os que estavam na sombra para o sol e recolhi, uma por uma, as flechas de João. Foi triste perceber que a escola, mesmo com alguns lugares ainda conservados, estava abandonada, longe de funcionar como deveria. O choque, entretanto, foi menor. Depois de ter visto a cidade e, óbvio, minha casa toda destruída, o que via ali parecia pouco, por incrível que parecesse.

Não consegui parar de pensar nos meus pais, e mesmo sem achar nada, voltei para a sala, pois não queria mergulhar nesse sentimento horrível.

A porta estava entreaberta. Entrei, e, como era de se imaginar, fui recepcionado com uma sacanagem: um balde de água que havia no topo me molhou por inteiro.

— Eu não tenho outra roupa, animal!

— E o problema é meu? — perguntou Victor.

De braços abertos, andei em direção a ele.

— Dê aqui um abraço!

— Pode parar, Felipe! Vou quebrar sua cara, mano!

— Envelheceram dois anos e continuam crianças — falou Peter, pela primeira vez.

— Ah! Está me zoando? — respondi. — Venha cá, você é quem vai ganhar um abraço agora! Fuja de mim, Peter. Fuja de mim. Ah… se não fugiu é porque está querendo!

Abracei o reclamão com todo o cuidado. Ele caiu na gargalhada e me abraçou também.

— Senti falta de vocês. Esses dois dias foram… difíceis.

Fiquei quieto, sem saber como responder. Até que João falou:

— Estamos aqui agora, e não vamos nos separar.

Levou quase dez minutos para Peter contar o que havia acontecido com ele. O portal que havia usado era um protótipo. Ele acreditava que a energia de Herobrine havia interferido no destino dos portais. Ou era só defeito mesmo, não tinha certeza. Peter foi parar dois anos no futuro, como nós, mas no mesmo lugar onde iniciara a viagem: seu laboratório. Contou que conseguiu libertar Steve, mas não sabia onde ele estava. Descobriu boatos sobre as coisas.

João o interrompeu, pediu para ele tomar um remédio e descansar um pouco. Acordaria muito melhor em uma hora e poderia contar as coisas com todos os detalhes. Peter até retrucou, disse que estava bem, mas nosso médico insistiu, e com paciência, ganhou a pequena batalha.

Logo que dormiu, João aplicou uma injeção em Peter, que acordou no pulo.

— Por que você fez isso?! — perguntou, de olho estatelado e voz seca.

— Você nunca ia deixar eu aplicar essa injeção em você acordado… — respondeu João.

— Você? Você me enganou?

João franziu os lábios, e baixinho, disse:

— Foi mal.

Enquanto eu entendia a estratégia do meu amigo todo certinho, fui começando a rir e percebi que até ele seria um mentiroso, se precisasse. Entendi ainda mais a mentira sobre a morte de Herobrine. Victor não aguentou e zoou Peter até o fim.

— Achou que ia tirar um cochilo gostoso, um cochilo tranquilo, e se ferrou!

Quando sentamos para um almoço improvisado de arroz e carne moída congelada havia meses, Peter resolveu desembuchar:

— *Ok*, vou contar tudo que sei.

— Fale logo, bicho chato do caramba! — reclamou Victor enquanto pegava carne com a mão.

— O portal, todo aquele laboratório, tudo que vocês viram... tudo aquilo foi construído com a ajuda do governo.

— Como as...

Ele me interrompeu.

— Calma, calma, deixe eu falar tudo de uma vez, e aí vocês choram depois. Senão, fica difícil. Quando aconteceu aquilo na vila, três anos, digo... cinco anos atrás, né? Esse negócio de viagem no tempo confunde tudo! Enfim... eu sabia que ele ia voltar, já falei isso a vocês. Só que eu precisava avisar alguém, e fui até a Inteligência Mundial, e aos poucos, fui provando que Herobrine era real. Para eu dar tudo que eles queriam, pedi que me dessem coisas em troca. O laboratório, o portal e o apoio no livro, para sair na tevê, revistas, jornais e tudo que fosse. Eu os usei para achar Steve, eles não sabiam que eu o havia achado. Na verdade, eu tinha medo de eles fazerem algo com Steve, de

PAC E MIKE

tentarem estudá-lo, machucá-lo, sei lá. A partir daí, a mesma equipe que projetou minha casa projetou uma cidade secreta e completamente segura.

— Você está zoando, mano! Como assim? Ninguém nunca falou dessa cidade!

— Lógico, né, Victor? — João se intrometeu. — Ela é... secreta!

Peter continuou:

— Ou seja, era para lá que nós devíamos ir. Só que antes que alguém fale qualquer coisa, eu preciso dizer. Quando apareci em meu laboratório, dois dias atrás, eu sabia que vocês viriam para a escola ou para a casa do Felipe, dois lugares onde a gente sempre se encontrava. Como um deles estava... bem... eu vim para cá. Só que, antes, fui à sede da Inteligência Mundial e lá descobri algumas coisas.

Peter tirou do bolso alguns papéis amassados.

— Por exemplo, este papel aqui dá a entender que o governo criou uma bomba especial, capaz de matar Herobrine, e que ela está guardada nesse lugar.

— Fechou! Vamos para lá logo! — falei.

Ele me olhou, ergueu as sobrancelhas e continuou.

— Então... o problema é que Herobrine tem um templo perto da cidade, aqui. E, pelo que há nestes documentos, esse templo é quase impossível de destruir

pelo lado de fora. Eles já tentaram, tiveram avanços, só que aí Herobrine foi, destruiu a base do Exército e reconstruiu o templo. E nós só temos uma chance, um míssil. E... calma, você já fala. Corre o boato de que Steve estaria preso lá.

— Não acredito nisso — falou Victor. — Herobrine o teria matado. Simples assim, ué.

— Pode ser — respondeu Peter —, mas, sei lá, pode não ser também. Herobrine pode deixá-lo vivo para humilhá-lo, mostrar que é o mais forte, para Steve nunca mais renascer. E, óbvio, ele só não pode machucar a gente, então... temos que salvar Steve, destruir o templo de Herobrine e acertar a bomba nele, se o irmão não der conta da briga.

Era muita informação; parecia impossível. Muitas variáveis.

Tudo que Peter disse fazia sentido. Isso era o pior. Nem parecia coisa dele estar tão certo. Peter sempre foi um medroso clássico, que tinha medo da própria sombra e não aguentava cinco minutos de um filme de terror. Ou seja, se ele estava dizendo que essa era a única saída, era porque era mesmo a única saída que existia.

Ele continuou:

— Mas a melhor coisa, se vocês me deixarem falar... é eu ir direto para a cidade, tentar descobrir como as coisas funcionam lá, e vocês três irem para o templo. Vocês estão se dando bem sozinhos.

Aí estava o verdadeiro Peter.

— Vá se lascar! — disse Victor.

— Nem sonhe. É seu plano, você vai junto.

— Ai, meu Deus, que o Homem-Aranha me proteja, por favor...

CAPÍTULO 11

Juntamos todas as mesas e cadeiras possíveis e criamos uma barreira impenetrável na sala onde passamos a noite. Afora os gritos e o barulho, menores que na noite anterior, nada foi muito incômodo. Revezamos a vigília e tivemos uma noite tranquila.

No outro dia, levantamos cedo e nos preparamos para o que seria uma jornada perigosa, no mínimo. Iríamos ao templo de Herobrine, e para isso, recolhemos tudo que seria útil. Ingredientes, espadas, dezenas de dinamites, cuja potência eu aumentei com uma receita que o professor Aurélio me ensinara havia tempos, em segredo. E por fim, pegamos também um tipo de máscara que parecia uma abóbora — uma tática criada por alguns sobreviventes — para passar despercebido pelos zumbis.

Peter contou que nas florestas muitas criaturas ficavam soltas o dia inteiro, e por isso, quanto mais protegidos estivéssemos, melhor. Fomos até o carro e dirigimos até uma entrada no bosque, que nos levaria ao templo.

— Moços, tudo certo? — perguntei.

Peter ameaçou dizer algo.

— Não, você não vai ficar aqui!

— Eu não ia falar isso!

— E o que você ia falar, então? — intrometeu-se Victor, já rindo.

— Hum... para vocês passarem repelente, há muito mosquito aqui.

Peter chacoalhou a cabeça, deu-nos as costas e seguiu para a floresta.

— Calma, seu louco, você sabe usar uma espada?

— Você acha que eu passei todo esse tempo e não aumentei minhas habilidades para enfrentar Herobrine? Confie, moço — respondeu Peter, empunhando a espada, de peito estufado e braços esticados.

Eu queria ver só na hora da luta...

A entrada da floresta era um portal (não do tipo portal mágico) de pedra branca, que simulava uma porta enorme. O caminho tinha uns seis metros de largura, sem raio de sol nenhum. As árvores eram tão grandes, que suas folhagens, lá em cima, encontravam-se e

criavam sombra em tudo. Por isso, o solo era um tanto quanto morto, uma grama quase inexistente, coberta por folhas secas e algumas que haviam acabado de cair por causa, imagino eu, dos ventos fortes que corriam por ali. Por enquanto, só uma brisa nos recebia.

Assim que cruzamos o portal, todos usavam as abóboras.

— Tem certeza de que isso dá certo, Peter?

— Absoluta!

— E por que você não usou antes, então? — insisti.

— Eu usei. Aí, precisei ir ao banheiro e esqueci de vestir.

— Por que eu não estou surpreso com sua burrice? — perguntou Victor.

— Desculpe, Peter, mas assim não tenho como defendê-lo... — finalizou João.

A floresta era cheia de barulhos que muitas vezes não significavam nada. O mais perigoso, lembro de o professor de exploração dizer, era quando ela ficava em silêncio completo. Aí que o bicho pegava. Literalmente, disse ele, e deu umas risadas que pareciam um urso berrando. Se eu soubesse, na época, como aquele tempo era bom...

— Pessoal, calma — falou João.

E logo entendi por que: à direita, um pouco à nossa frente, surgiu uma criatura de olhos roxos e corpo todo preto, braços e pernas longos (não tinha pés ou mãos, apenas braços, como um espaguete enorme), com um tronco curto, segurando com as duas mãos uma flor amarela.

— Andem de boa, isso é um *enderman*. Ele não vai nos ver.

A máscara era quente, mas não foi ela a razão do meu suor, porque ele escorria frio pela minha testa. E se não desse certo? Que tipo de criatura era essa? Que coisa mais bizarra, obscura, mas... carregando uma flor? Parecia uma contradição muito grande, e por isso, tive ainda mais medo. Medo daquilo que não se faz ideia do que é.

Vi outro deles à esquerda, dentro da floresta, a alguns metros do caminho. Ele parecia alheio a nós. E quanto mais andávamos, mais criaturas dessas surgiam. E nada. Não se moviam. Permaneciam fazendo o que quer que estivessem fazendo. Carregando flor, bloco de areia, qualquer coisa, sem dar muita atenção para a realidade.

Isso significa que a tensão diminuiu? Jamais!

Ninguém falava nada, não sabíamos se a voz chamava a atenção deles. Sei lá... Melhor não provocar. Por isso, segui quase sem mexer o pescoço para os lados, andando o mais duro possível. Fizemos curvas,

subimos, descemos, pulamos algumas toras caídas e encontramos algumas clareiras, até que foi possível ver o topo do templo.

E ele era... encoberto! Tinha uma cobertura. Claro! Para o sol nunca chegar naquele lugar... Caminhamos até aquela que parecia ser a última das clareiras, um dos poucos lugares em que batia sol em toda aquela floresta.

— Vocês estão vendo? É a entrada do templo ali, manés — sussurrou Victor, sem esconder sua empolgação.

— Falta pouco... — pensei em voz alta, e pisei na grama cheia de luz do sol.

Os outros fizeram o mesmo.

Uma fumaça branca surgiu no centro da clareira; logo virou um tipo de tornado, rodopiando de um lado para o outro, cada vez mais veloz, espalhando e derrubando milhares de folhas das árvores. Talvez não fosse bem o vento, como eu pensei. Galhos começaram a voar, nossas máscaras escaparam para longe, e quando parecia que algumas árvores seriam arrancadas, o tornado brecou. Estático. E dele surgiu um *enderman* gigante, branco, com pernas e braços de quase cinco metros e os olhos de um laranja amarelado.

Peter deu dois passos para frente e perguntou.

— Será que ele nos enxerga?

Antes de qualquer um responder, o *enderman* falou. Sim, ele falou! Com uma voz cheia de eco e interferência de assovios e barulhos bucais que não dava para entender direito, mas falou!

— Ele disse… Olá? — perguntou João.

O *enderman* ergueu o braço direito e o jogou em cima de Peter, que escapou por alguns centímetros. O monstro era quase mais rápido que o tornado. Vi João sair para o lado direito; Victor, para o esquerdo; e eu, não sei porque, dando uma de Peter, recuei. E quando recuei, notei a multidão de *endermen* comuns que se teletransportavam em minha direção. Saltei para a área iluminada pelo sol, esperando o ataque das pequenas criaturas.

Não! Claro que não! Eles não podem entrar aqui.

— Cuidado! — gritei —, não entrem nas sombras!

Victor olhou para mim, depois para trás, e com seu descuido, quase foi esmagado pelo gigante.

Lascou! Ele era rápido, enorme, poderoso e... nos encurralou! Não tínhamos como sair dali sem o derrotar!

— Minha flecha — gritou João —, minha flecha não o atinge!

— *Endermen* são imunes a flechas! — avisou Peter.

— Você poderia ter dito isso antes, né?

— É, acho que sim — respondeu ele.

Que maravilha... O *enderman* gigante colocou seus dois espaguetes... digo, braços, no chão e começou a movê-los de um lado para o outro. Parecia uma gincana daquelas que você vê na televisão, em que as pessoas precisam ficar pulando ou abaixando. As diferenças básicas: o monstro era muito mais rápido, e sem dúvida, aquilo ali estava longe de ser uma brincadeira. Minhas pernas começaram a pesar de cansaço; vi o braço em minha direção, pulei, mas ele bateu no meu tornozelo e caí.

Enquanto caía, ouvi um urro do monstro. Bati a cabeça.

Não entendi o que aconteceu. Precisei da ajuda de Peter para levantar, e ele me avisou.

— Victor enfiou a espada no braço dele.

Olhei e vi o braço direito do *enderman* preso ao chão. Ainda zonzo, corri, desviei do braço esquerdo e fiz o mesmo: finquei minha espada para ajudar a segurar.

Victor levava outra espada às costas; entregou-me a pistola e se afastou dali. O monstro não tirava os olhos dele, que correu em direção às pernas gigantescas como um guerreiro suicida.

— NÃO! — gritou João.

O *enderman* acertou um chute que lançou Victor quase às sombras, inconsciente. Ver o mais forte de nós ser tratado como poeira fez meus ossos gelarem e eu ter a certeza de que não mataríamos aquela coisa com a força bruta. Precisávamos pensar... pensar...

Se os outros *endermen* vivem nas sombras e esse no sol... E se eu fizesse sombra nele?

Mas, como? Não inventaram uma poção que fechasse as nuvens ainda.

Impossível, impossível!

Quando voltei para a realidade, vi o braço esquerdo do monstro dando um murro em meu estômago. Soltei a pistola e fui lançado metros sombra adentro, passando por sobre a cabeça de uns quatro *endermen*. Não tive tempo de choro; levantei-me e eles já me cercavam. Precisava achar qualquer coisa que fosse útil. Sem espada, sem arma. Com a mão esquerda, peguei meu isqueiro e com a direita um frasco de água.

Acendi o isqueiro. Os *endermen* liberaram minha esquerda e se aproximaram pela direita. Tinham medo do fogo!

Um deles me atacou, acertando o lado direito do meu peito. Parecia uma tonelada sendo jogada em mim. Derrubei o frasco, que se quebrou e derramou água nos pés do *enderman*, que virou pó. Arregalei os olhos e berrei em comemoração. Peguei o cantil, e enquanto corria de volta para a clareira, jogava gotas de água nos monstros, que nem sequer tinham tempo de reagir. Parei ainda nas sombras.

— João! João!

Ele, que já estava perto, pois ia tentar me salvar, perguntou o que eu tinha em mente.

— Você sabe atirar com revólver tão bem quanto com arco e flecha?

— Não, não tão bem, mas posso dar um jeito.

Se os *endermen* morreram só com uma ou duas gotas de água em contato com sua pele, o que H_2O dentro do corpo não faria com eles? Tirei o pente da pistola, molhei as balas, mesmo sabendo que isso poderia estragar a arma em longo prazo. Mas disparando logo, o tiro sairia normalmente.

— João, assim que eu colocar o pente de volta, você tem uns dez segundos, no máximo. Atire o quanto conseguir.

— Vou conseguir!

Olhei para Peter, que conseguia desviar-se do braço esquerdo do *enderman* pulando de um lado para o outro do braço direito preso na terra.

— Um... dois... três.

Molhei as balas e coloquei o pente dentro da arma.

— Agora!

Ele entrou na clareira e correu para a direita. Eu corri para a esquerda e comecei a gritar e acenar para o *enderman*, sem tirar os olhos dele.

Ouvi os disparos.

Todos foram rápidos e certeiros.

O *enderman* começou a gritar, em agonia. Corri até o braço direito e joguei o resto de água que eu tinha. Peter percebeu e fez o mesmo com o cantil dele. A fumaça branca voltou a aparecer; um fraco tornado começou a ganhar força.

— Ele vai escapar! — gritou João.

Não, não vai.

Acendi o isqueiro e o joguei dentro do tornado, que explodiu em pedaços de gosma branca. Um deles atingiu o rosto de Victor, que acordou, levantou-se, sorriu e disse:

— Você vai pagar por me acordar desse jeito, Felipe, seu merda!

Quando vi, não tive dúvida. Aquele era o lugar mais assombroso, estranho e majestoso que eu já havia visto em toda a minha vida. A entrada era uma abertura simples e pequena na imensa parede, que subia por dezenas de metros até encontrar a cobertura do lugar. Logo que pisei dentro do templo, um jardim imenso apareceu, e no centro dele, uma estátua de Herobrine — de ouro, a julgar pelo brilho do metal. Todas as construções eram horizontais; a altura nem poderia ser tanta, para não bater no teto. Mas cada prédio tinha uns trinta metros. De cada lado, um prédio se alongava por quase cem metros até acabar naquele que parecia ser o principal templo de Herobrine.

PAC E MIKE

A escuridão era amenizada pelos milhares de castiçais espalhados por todo o terreno. Estranhei quando vi que o lugar estava vazio, sem nenhum monstro.

— Vocês sentem também? — falei.

— A mesma coisa do laboratório... do vilarejo... sim — respondeu João.

— Moços, moços! Primeiro: João, dê-me uma dinamite, que eu preciso. Isso, obrigado. E agora, por favor, calma, calma, deixem-me falar. Deixem-me ficar aqui em cima, por favor.

Victor agarrou Peter pela camiseta, arrastou-o até a escada da esquerda (havia uma de cada lado) e o mandou parar de frescura. Fiz o mesmo, por mais que meu estômago estivesse com Peter. Se pudesse, eu viraria as costas para nunca mais voltar. Não virei. Meus pais dependiam disso. O mundo dependia disso: de encontrarmos Steve e atrairmos Herobrine para fora dali.

O cheiro no ar tinha um teor pesado, como se algo apodrecesse por ali. Os degraus eram maiores que o normal, por isso, precisei ter cuidado redobrado.

— Victor, Peter, a gente se encontra na estátua de Herobrine em quarenta minutos. Por favor, não se atrasem e tomem cuidado!

— Boa sorte! — desejou Victor.

Todos trocamos olhares, respiramos fundo e seguimos nossos caminhos.

Eu e João ficamos responsáveis por plantar as dinamites remotas (que seriam explodidas por um controle); e Victor e Peter, por procurar Steve.

Eu tinha a nítida sensação de que estava sendo observado; olhava para os lados e para trás o tempo todo. Era como se eu pudesse sentir a presença de Herobrine, como se tivéssemos uma estranha ligação. Mas sempre que eu olhava, era só o vazio. Será que meus amigos sentiam a mesma coisa?

Corri para alcançar João, que já instalava uma das dinamites na base lateral do prédio da direita. Peguei uma dinamite com ele e a instalei diretamente no muro. A estratégia era criar buracos específicos na parede e nos prédios, para que a gravidade fizesse o resto.

Instalamos mais de dez dinamites sem nenhuma perturbação, estávamos quase na metade do paredão, aproximando-nos do templo principal, quando ouvi gritos. João me olhou.

— Vá lá, Felipe!

Larguei as dinamites no chão com a promessa de que ele terminaria e corri para o templo todo de mármore branco; colunas gregas sustentavam o prédio, cheio de esculturas de Herobrine. Como ele havia conseguido tudo isso, eu não fazia ideia. Subi as escadas e entrei na única e gigantesca porta aberta.

O salão parecia ainda maior do lado de dentro; tinha lustres que deviam custar os olhos da cara. O piso era espelhado, e à frente, um trono branco, brilhante, como a cor dos olhos daquele que lá estava sentado. Senti que Herobrine olhava no fundo dos meus olhos.

No meio do caminho entre onde eu estava e o trono, meus amigos estavam rodeados de criaturas. Peguei algumas doses de explosivos que estavam no meu bolso (eu as havia preparado na escola).

— Cuidado! — gritei e corri, lançando as pequenas bombas.

Abri buracos na emboscada que haviam armado para eles. Victor aproveitou o momento e atacou os zumbis restantes que o cercavam. Peter parecia estar em transe, até a hora que gritei.

— Ajude!

Ele levantou a espada e mostrou que, de fato, havia treinado durante esse tempo. Não era um lutador exímio como Victor, mas conseguia se virar. Fui até eles. Victor se voltou em minha direção e gritou:

— Abaixe-se!

Obedeci. Ele se atirou por cima de mim, e quando vi, estava retirando a espada de dentro de uma aranha. Juntos, lutamos por alguns minutos, até que ninguém mais parecia aguentar de cansaço. Os ingredientes haviam acabado, meus braços pesavam e minhas pernas já não obedeciam a tudo que minha mente pensava em fazer. Caí algumas vezes, e não fui devorado porque Peter e Victor aguentaram e salvaram minha pele.

Quanto mais lutávamos, mais monstros pareciam surgir. Além dos zumbis, os *endermen* apareceram.

— Ele deve ter recrutado todos os monstros da floresta — disse Peter.

— Veja a cara daquele maldito. Queria acertar um murro na fuça dele.

— Controle-se, Victor. Não podemos socá-lo, você sabe. Se qualquer um tentar matá-lo e não conseguir, nossa proteção já era — falei.

Victor sabia. Ainda assim, pareceu engolir aquilo em seco, com ódio no coração. Respondeu:

— Precisamos vazar daqui, não aguento mais muito tempo. Se mais aranhas vierem... acabou. Delas, a gente não dá conta.

Peter concordou, enquanto arrancava a cabeça de um zumbi. O problema era como fazer isso, como sair daquele lugar cheio de criaturas, e pior, com Herobrine sentado no trono só vigiando. Eu tinha certeza de que aquilo para ele era uma grande diversão, ver quatro moleques achando que poderiam derrotá-lo...

Todas as criaturas pararam.

Não entendi, até que Peter disse:

— É ele! Olhe para ele!

Herobrine estava em pé, com o punho direito fechado e erguido. Faíscas brancas saíam de seus olhos e seus lábios ameaçavam um sorriso. Ele levantou três dedos. Abaixou um.

— É uma contagem! Preparem-se!

Nesse meio-tempo, todos os monstros se agruparam. Se atacassem de uma vez, não teríamos chance nenhuma.

Ele abaixou o outro dedo; só restava um.

Espero que João tenha terminado.

Zero. Herobrine jogou os braços para baixo.

Peguei o detonador de dinamites e apertei o botão vermelho.

Primeiro, o barulho da explosão, correndo de longe para perto. Os monstros ficaram estáticos, pareciam não entender nada. Agarrei os braços de Peter e Victor. Atravessamos o círculo sem que nenhuma das criaturas nos impedisse. Elas não eram os seres mais inteligentes. As bombas continuavam explodindo, até que chegaram ao palácio e o teto começou a desabar. Vi o clarão dos olhos de Herobrine e o ouvi explodindo em ira. Os monstros correram atrás de nós.

Algumas poucas aranhas estavam na nossa cola.

— Não vamos conseguir! — avisei.

— Meu Deus! Meu Deus! Meu Deus! — gritou Peter.

Uma aranha estava a menos de três metros quando passou correndo do nosso lado, sem fazer nada. Outra fez o mesmo. Mais uma. Duas.

— Eita! Elas tão fugindo também! — disse Victor, rindo como se estivesse sentado no sofá da minha casa assistindo a *The Big Bang Theory*.

O templo desmoronava. Quando saímos, pude ver toda aquela magnitude que havia sido construída… despedaçando-se.

— Corra! Corra! Corra! — Peter não sabia dizer outra coisa.

— Onde está João? — perguntei — João! João!

Enquanto corria, eu olhava para todos os lados. Nenhum sinal dele, só alguns monstros desesperados querendo chegar até a saída. Passamos pela estátua. Ele não estava lá. Cadê? Cadê? Olhei para trás e vi o

rastro das bombas, que acabava perto do templo da esquerda. A última parte dele estava intacta.

Fui naquela direção e vi João caído próximo às escadas.

— João! João!

Alguma bomba explodira perto dele. Bati em seu rosto, chacoalhei-o, apertei seu peito, até que ele acordou. Ajudei-o a se levantar e corremos. Victor se aproximou e deu o outro ombro para João se apoiar. Com isso, conseguimos aumentar a velocidade e subir as escadas.

— Fê, Fê, há uma bomba manual... exploda-a na porta quando sairmos — disse João, estendendo-me uma dinamite individual.

Entreguei-a a Peter e o mandei estourá-la.

— Eu não sei fazer isso!

— Por favor, Peter! Faz uma coisa sem reclamar!

Ele arregalou os olhos e ficou quieto. Victor largou João, pegou a espada e limpou o caminho de criaturas que nos atrapalhavam, como algumas aranhas e *endermen*. Ultrapassamos a abertura na parede. Peter acendeu a dinamite e a jogou lá, trancando a única saída do lugar.

Conseguimos aprisionar boa parte das criaturas de Herobrine. E as que escaparam, não estavam nem um pouco a fim de arrumar briga agora, o que tornou nossa volta até o carro muito mais tranquila que a ida.

— Missão cumprida, seus bostas! — gritou Victor. — Peter... Peter... meu Deus, não olhe para trás. Herobrine!

— Ai, meu N do céu, por favor, socorra-me, sou muito novo, ajude-me!

Ele continuou por longos segundos nesse desespero, mesmo que nós três ríssemos mais do que eu imaginava que fosse capaz depois de tudo que passamos. Victor conseguiu aliviar todo o clima, a tensão, o medo e as lembranças. Apesar de tudo, conseguimos completar a primeira parte do nosso plano.

Herobrine já não tinha mais um lugar seguro. Agora, sem sombra de dúvida, ele iria atrás de nós por vingança. Que fosse! E nós iríamos para a tal cidade secreta.

Os dois contaram que Steve não estava no templo. Nenhum sinal do irmão de Herobrine. Teria morrido? Vez ou outra eu me lembrava do sonho que havia tido e tentava entender o que aquilo significava. Não tinha resposta, apenas o anseio de encontrar aquele ser que poderia nos salvar do seu irmão!

Pensei nos meus pais durante as duas horas de viagem até a cidade secreta — que, na realidade, não era tão secreta assim. Ficava alguns quilômetros adentro de um deserto de terra batida, onde poucas plantas tinham o azar de conseguir sobreviver. Não existia nada, com exceção de pequenas barreiras para eventuais soldados ao redor da cidade. Com certeza, aquilo era proposital, para facilitar a vigilância, caso qualquer inimigo surgisse por ali.

Quando chegamos ao portão, ficou óbvio que mesmo toda essa proteção não havia sido suficiente para impedir Herobrine. A guarita estava vazia, suja e abandonada, assim como os arredores dos muros, e quando entramos, vimos que a bagunça não ficava só para fora.

PAC E MIKE

Era um lugar muito parecido com a capital. Roupas, destroços (menos que na cidade, é verdade), folhas e grama para todos os lados. Descemos do carro. A cidade era cheia de pequenos prédios de dois ou três andares que pareciam servir de residência para políticos, empresários, "gente importante". Pelo que consegui ver, a base do governo ficava no final daquela cidade. Ela era enorme, de comprimento e largura.

— Alguém aí? — perguntei, em voz alta.

— Ei! Ei! Há alguém aí? — Peter aumentou o tom da pergunta.

— Que porcaria, nem aqui sobrou alguém — reclamou Victor.

Peter pediu para nos aproximarmos e começou:

— Galera, agora é sério, precisamos ligar nosso modo Splinter Cell, seguir a estratégia, encontrar a bomba e acabar com Herobrine. Este lugar pode ter vários mistérios e segredos, então, cuidado. E se alguém vir Herobrine, lembre que ele não pode fazer nada conosco ainda, então, não precisa ter medo.

João deu risada e perguntou:

— Desculpe, mas é sério que você está falando isso?

— Nossa!

Eu e Victor também rimos e Peter ficou com cara de nojinho, gesticulando as mãos para dizer que João falava demais.

— Moços, eu sei que todos aqui estão com medo, eu sei que todos sabem que se... hum... não conseguirmos matar Herobrine, ele é que vai nos matar. Eu só queria dizer que é uma honra, de coração, ser amigo de vocês e poder passar por tudo isso. Tomara que terminemos, encontremos nossos pais e o mundo volte ao normal. É isso.

Victor fez de conta que estava chorando, tirando com minha cara. João colocou a mão em meu ombro e respondeu:

— Não era bem o que a gente esperava para esse... quer dizer... para o fim de ano de dois anos atrás, mas aqui estamos, num acaso do destino, lutando para derrotar uma criatura como aquela. E até que estamos nos saindo bem!

Ele sorriu e olhou para todos, um por um. Victor parou de fingir o choro e disse:

— Tirando a zoeira, manos, quando isso acabar, um livro sobre nós vai ser pouco. Peter, já vá esquematizando, eu quero ser a estrela do filme para chover na minha mão.

— Bem — tomei a vez —, vamos nos separar e ver se achamos coisas úteis nas casas aqui por perto. Eu gastei muita coisa no templo de Herobrine e preciso ver se consigo repor.

PAC E MIKE

— Beleza. Uma hora? — perguntou João.

Todos concordaram, e cada um foi para um lado. Entrei em várias casas e reconheci várias fotos nelas, a maioria de pessoas importantes. Em uma delas, a foto de um casal escrito no verso "Gutim e Carla". Continuei procurando e encontrei alguns ingredientes úteis, um bocado de dinheiro nas gavetas, principalmente nas casas dos políticos.

Peguei toda a comida, e quando vi que a hora já vencia, voltei para perto do carro. Não fui o primeiro, Peter já estava lá… com uma máscara do Homem-Aranha!

— Onde você achou isso?

— Você viu? Não sou demais?

A voz dele, pela primeira vez desde que havíamos nos encontrado, exalava pura alegria.

— Nem acredito que achei uma máscara do Homem-Aranha, moço!

— Você só pode estar de brincadeira… o que mais achou?

— Ah, eu nem fui muito longe… estava com preguiça.

— Deixe disso, que eu sei que você estava com medo.

— Ah, pare com isso!

Não demorou muito para Victor chegar.

— Você encontrou o João no caminho? — perguntei.

— Ah não, tire essa máscara do Homem-Aranha.

Ele segurou Peter, arrancou-lhe a máscara e a jogou para longe. Peter parecia fugir das criaturas de Herobrine de tanto que correu para pegar a máscara.

— O quê? O João? Não vi, não.

Estranho. O João não era de sumir. Esperamos por mais alguns minutos. Victor não parava quieto, andava de um lado para o outro. Foi o primeiro a falar e admitir que poderia ter acontecido alguma coisa.

— Precisamos ir atrás dele — continuou —, não dá para ficar quieto aqui. Vamos!

Eu e Peter concordamos. Durante toda a busca, gritei, e algumas vezes, até ouvi os gritos de Peter e Victor por João.

Nada.

Nenhuma resposta.

O medo de ele ter sido pego por Herobrine só aumentava.

Quando o sol começava a se pôr, voltamos para o ponto de encontro. E lá estava João! Sentado, segurando seu arco e flecha, com os olhos arregalados.

— Felipe! Onde você estava? Cadê os outros?

— João... João... Nós, nós saímos para procurar você! Por que demorou tanto?

— Sério? Mil desculpas! Eu fiquei preso em uma casa, mas descobri algo muito, muito importante!

Não demorou para Victor e Peter aparecerem. O primeiro deu um misto de abraço com tapas, enquanto o segundo falou que sabia que estava tudo bem, que não entendia nosso desespero.

Antes que qualquer um de nós perguntasse alguma coisa, João falou:

— Steve está na base do governo!

— O quê? — perguntei.

De todas as coisas que eu esperava ouvir, essa era a última delas. Steve preso na base do governo?

Seria possível? Se fosse verdade, nossas chances aumentariam!

— Eu entrei em alguns prédios e casas, e em uma delas havia uma foto de três cientistas do lado de Steve. Revirei a casa toda, até que fiquei preso num quarto, por isso demorei tanto. Desculpem de novo — ele sorriu —, mas descobri que tanto Steve quanto a bomba estão armazenados na ala H do prédio. E a bomba está numa sala com o nome de "Chume Labs".

— Você tem certeza? — perguntou Victor.

— Absoluta. E precisamos ir agora mesmo. Herobrine deve estar chegando com todo o exército dele.

— Agora? Já? — falou Peter. — Não, não, eu... eu vou ficar!

— Não é hora para isso, Peter — retruquei. — Vamos logo, então, já está escurecendo!

Nosso plano era simples, mas isso não significava que seria fácil: precisávamos encontrar Steve e a bomba, em uma base quilométrica, antes de Herobrine ou suas criaturas aparecerem.

No tempo mais rápido possível, cada um arrumou suas coisas e fez o que precisava. Eu separei o que havia encontrado de ingredientes, fui ao banheiro, e quando peguei um pacote de biscoito para abrir, ouvi o primeiro grito de um zumbi.

Corri para perto dos três, que já estavam de armas na mão. A espada de Peter balançava no ar, de tanto que tremia. João segurava seu arco e flecha em direção ao barulho, à esquerda. Victor permanecia firme, como o bom guerreiro que era. O silêncio que se estabeleceu depois daquele grito foi ainda mais assustador. O primeiro som destacado foi o da flecha de João, voando certeira, na cabeça de um zumbi que apareceu às nossas costas, uns trinta metros longe.

Depois dele, outros dois surgiram.

Quando João preparava a flecha seguinte, uma aranha gigante saltou do telhado e o atacou.

CAPÍTULO 14

Victor avançou contra a aranha antes que ela paralisasse João e a matou. Eu não sabia se ela o havia picado ou não. Nós três tiramos o bicho de cima dele.

Na perna, uma marca.

Ele gritava de dor.

— Felipe, faça uma poção de cura! Rápido!

— Os zumbis estão vindo, os zumbis estão vindo! — era a única coisa que Peter sabia dizer, enquanto eu buscava os ingredientes para tentar fazer algo próximo de uma poção de cura.

O lugar não era o ideal, nem os produtos, muito menos o tempo, mas consegui criar algo que não salvaria João, mas lhe daria condições pelo menos de andar.

PAC E MIKE

Ele a tomou e foi carregado por mim e Peter, enquanto Victor cuidava da nossa segurança e do nosso caminho. O próprio João foi quem indicou o caminho alternativo: o esgoto.

Não era grande como nos filmes, mas, até por ter sido projetado para pessoas importantes, o lugar havia sido bem construído. E já que ninguém usava aquilo ali havia meses, não estava tão ruim.

Caminhamos para a base, o que foi apenas seguir em linha reta. João já conseguia andar, mas seu equilíbrio ainda falhava. Traçamos um plano para entrar no prédio sem chamar atenção, com a maior segurança possível, já que agora o lugar estava cheio de monstros e zumbis.

Saímos do esgoto e nos escondemos dentro de uma casa, para avaliar a situação. Havia apenas seis zumbis próximos, na rua. João esperou, enquanto eu, Peter e Victor matamos os monstros, sem dar tempo de nenhum deles gritar.

Com as mãos, chamei João e ele acudiu. A possibilidade de Herobrine aparecer era grande, por isso, não poderíamos bobear.

Victor abriu a porta da base.

— Eu… eu… vou ficar aqui fora, *ok?* — falou Peter.

— Espere aí! Você quer ficar aqui fora sozinho, num lugar cheio de zumbis e aranhas, em vez de dentro de

um prédio com todos os seus amigos para protegê-lo? — perguntei.

Ele coçou a cabeça, abriu e fechou a boca, sem falar nada.

— Parabéns, você deixou Peter sem palavras — comentou João, mostrando que mesmo na pressa, minha poção funcionava.

O corredor era um tanto quanto apertado; passavam três pessoas lado a lado, no máximo. Mas parecia ser extenso como o barracão no qual nós quase havíamos morrido. Eu não tinha certeza, porque estava uma escuridão; as luzes estavam apagadas e não havia nenhuma entrada de iluminação. Acendi a lanterna e fechei a porta quando todo o mundo entrou.

— Procurem o gerador aqui por perto ou nas primeiras duas salas; não deve estar longe.

— Eu vou procurar aqui mesmo — a voz do Peter tremia tanto, que ele tinha dificuldade de completar as palavras.

Não demorou para Victor achar o gerador e acender as luzes de emergência. Algumas falhavam, outras permaneceram desligadas. Ouvi barulho de máquinas religando, impressoras que voltaram a funcionar. Quanto tempo fazia que nada ali era ligado?

PAC E MIKE

Com a luz, percebi a quantidade de entradas dos dois lados da parede. Apesar de serem muitas portas, a bomba não devia estar por ali.

Na parede havia um mapa de toda a construção. O negócio era mesmo assombroso de grande. Só na ala H levaríamos horas para procurar, e não tínhamos todo esse tempo. Precisaríamos nos dividir, mais uma vez.

Eu e João procuraríamos no lado direito. Peter e Victor, no lado esquerdo. Quem encontrasse, soltaria os rojões que havíamos pego.

— Vamos soltar esses trecos aqui dentro? — perguntou Peter.

— Está preocupado com a decoração, Zé? — retrucou Victor. — Vamos logo! Cuidado, João. Cuidado, Felipe!

Vi os dois correrem para o lado esquerdo. Olhei para João como quem pergunta se está pronto. Ele concordou com a cabeça e correu. Segui. Partes do lugar estavam completamente destruídas, como se tivessem sido atacadas por uma dinamite ou um poder ainda maior.

Algumas portas não mais existiam, e um ou outro cômodo estava só o pó. Comecei a deduzir que Herobrine havia atacado pontos com nomes chave. Todos os lugares com nomes importantes, como "Segurança", "Defesa", "Inteligência", "Herobrine", "Vida" estavam completamente destruídos. Já outros como "Secretaria" "Escritório", "Banheiro" não foram sequer atacados.

Será que o governo descobrira uma forma de ludibriar Herobrine e esconder coisas importantes? Por causa do nome dos lugares... Não sei, não sei, eu estava deduzindo demais... talvez ficando até meio louco, sei lá.

Fato é que quanto mais eu e João andávamos, mais medo eu sentia. Não encontrava o Chume Labs, o tempo passava e calafrios eram mais e mais comuns. Comecei a sentir aquela energia... a energia daquela criatura.

De alguma maneira, eu sabia que ele estava perto! De alguma maneira, eu sabia que ele estava mais perigoso que nunca!

— Você está bem? — percebi que João respirava fundo e havia diminuído o ritmo.

— Não, Fê, eu estou meio… tonto.

— Quer parar?

— Não. Se pararmos, ele vai nos pegar.

— Você também…

— Se o sinto? Sempre.

— Ele está perto, não está?

— Muito. E está diferente.

— Será que ele pode…

— Matar a gente? Não sei, Fê. Mas ele está diferente.

— Meu coração está pulando! Pulando!

— Eu estou ficando — João respirou fundo — cada vez mais… sem ar…

Chegamos a um beco sem saída. João começou a balançar: a cabeça… seu corpo, rodopiou; ele estava perdendo o equilíbrio. Saltei para segurá-lo.

— Fê, corra. Ele… ele… chegou!

João arregalou os olhos.

Herobrine estava atrás de nós.

CAPÍTULO 15

Herobrine segurava uma espada com a mão direita, tinha um sorriso nojento na cara e seus olhos brilhavam intensamente: ele estava mais forte que nunca! Sua simples presença oprimia todo o meu corpo. Era como se alguém me espremesse por dentro, pelos órgãos, pelos ossos, pelos músculos.

João tremia em meus braços, de boca aberta. Seus olhos se abriam e fechavam de uma forma assustadora, como se ele não estivesse mais em seu corpo. Sua mão esquerda caiu, como se desmaiasse, mas seu corpo continuava a tremer, sua boca a balbuciar e babar, seus olhos a revirar. Ele estava gelado como um defunto.

PAC E MIKE

Herobrine não podia nos matar diretamente, mas todo o seu poder estava nos destruindo aos poucos. Ele havia chegado ao ápice da sua força, e nós, simples humanos, não éramos o suficiente para encarar toda essa monstruosidade.

O pior de tudo: ele sabia disso. E se divertia. Emitiu um som que parecia uma gargalhada... o maldito ria da nossa cara!

Puxei o rojão. Eu estava sem saída, cercado por paredes, e à minha frente, Herobrine. Acendi o rojão e mirei em direção a ele.

Eu sabia o que isso significava.

Ele poderia me matar.

Mas eu não tinha saída.

Essa era a única chance.

Atirei o rojão em sua direção.

Ele saltou para trás, pareceu assustado. Por um momento, seus olhos se fecharam. Peguei o rojão de João e atirei. Ele estendeu a mão esquerda, e com ela, interrompeu meu disparo.

Estava acabado.

João estava tendo uma convulsão, e eu não sabia mais o que fazer.

Sacar a espada? Eu morreria em um segundo. O arco? Não sabia nem como colocar a flecha. Poções? Sem tempo.

Herobrine passou o braço direito pelos olhos e parte do brilho deles foi parar na palma da sua mão, que ele estendeu para atirar em mim.

A parede explodiu.

Os olhos de Herobrine se fecharam.

Outra criatura o agarrou e destruiu a outra parede, levando o monstro consigo.

De repente, o peso do universo sumiu. Parei de ser esmagado por dentro e João voltou a respirar.

— Felipe! João! — ouvi o grito.

Victor!

— Aqui! Estamos aqui!

Peter e Victor apareceram no corredor. Desesperados, ajudaram-me a erguer João.

— O que acont... — eu ia perguntar, mas Peter me interrompeu.

— Eu achei Steve! Ele estava aqui mesmo, preso, em uma sala perto da bomba! Ele parece estar forte!

— Mais forte que Herobrine? — perguntei.

Peter ergueu as sobrancelhas. Parecia não querer responder à minha pergunta. Então, Victor fez o que ele não tivera coragem.

— Não, acho que não tão forte.

— Merda! — reclamei.

Corri para a segunda parede destruída, entrei em um laboratório qualquer, e lá também havia uma saída destruída. Mas a saída dava para uma enorme floresta. Eu não acreditava que estava vendo algo de tamanha grandiosidade.

No céu, Herobrine e Steve se encaravam. Duas criaturas lendárias, dois irmãos, duas criações poderosas, dois seres que haviam sido criados juntos, do mesmo berço, do mesmo lugar, dois seres que tinham tudo para ser aliados, dois seres que, juntos, poderiam mudar o mundo.

Não havia, porém, dois seres mais diferentes que eles em toda a Mine.

Herobrine empunhava uma espada de diamante, que brilhava como seus olhos. Steve tinha cara de gente comum, não tinha olhos brancos ou qualquer coisa que o destacasse em uma sala de aula, no trabalho ou na rua, mas a energia que fluía dele era notável. Erguia uma espada toda preta fosca. Eu nunca havia visto algo assim. Que tipo de material seria esse?

Eles estavam parados no ar, esperando para ver quem arriscaria o primeiro golpe. Movimentavam-se em círculos.

Peter encostou ao meu lado.

— Dez vezes melhor que a luta do Homem-Ar...

Antes de terminar, Victor lhe deu um tapa na cabeça, e Peter reclamou. Nesse breve segundo em que

desviei os olhos dos céus, ouvi um estrondo e uma massa de ar fortíssima se deslocou em nossa direção, jogando-nos três ou quatro metros para trás.

Quando voltei a olhar, tive dificuldades para enxergar, tamanha era a velocidade! Herobrine e Steve estavam trocando golpes de espada.

Em cima. Embaixo, dos lados. Herobrine acertou um chute em Steve, que lhe devolveu um soco com a mão esquerda. O ataque quase custou o pescoço de Steve, de tão perto que a espada de diamante passou da sua pele.

Todas as vezes que eles se chocavam, criavam uma massa de ar e um barulho quase ensurdecedor. Não tão poderosos quanto a primeira vez, claro, mas a luta continuava muito perigosa.

Herobrine parecia sempre estar na ofensiva, enquanto Steve tentava se segurar de todas as formas possíveis. Eu não tinha dúvida de que ele estava mesmo mais fraco que o irmão. Não teve tempo de preparo, nem treino, estava enferrujado havia séculos. Mas o que eu sentia dele era um coração muito grande, de que estava disposto a se sacrificar para nos salvar, para salvar o mundo.

E só então eu percebi. O que nós estávamos fazendo ali parados?! Precisávamos lançar a bomba!

PAC E MIKE

— Vamos! Vamos! A bomba!

— Vamos lá! — falou Victor, começando a correr.

— Eu fico, isso aqui está demais — gritou Peter.

— Se ficar, a bomba vai matá-lo — avisei sem olhar para trás, ajudando João a correr.

Quando percebi, Peter estava do outro lado, também erguendo João.

Victor continuou na frente, guiando nosso caminho, já que ele havia encontrado o laboratório antes. O prédio não parava de balançar, parecia que ia cair a qualquer instante, mesmo que não fosse verdade.

O som dos choques das espadas invadia as paredes e servia como narração para nos dizer o que acontecia. Vez ou outra, também ouvíamos os gritos de Herobrine, raivosos como nunca. Imaginar que alguém só saiba expressar isso para um irmão chegava a ser revoltante.

— Entrem, é aqui! Felipe, vá, deixe que eu cuido do João.

Victor abriu a porta, deixou-me entrar e ficou de guarda, enquanto eu reconhecia o lugar, cheio de computadores, instruções e monitores.

Tudo ali se resumia a uma única coisa: a bomba. Aquele lugar havia sido feito só para o lançamento dela, então, não tinha muita complicação. Ativei os

computadores e fui seguindo todos os passos. Quando cheguei à parte final, percebi o óbvio:

— Moços, se fizermos isso, Steve vai morrer também.

Ninguém respondeu. Ninguém sabia o que dizer, nem eu mesmo. Apesar de ter alertado sobre o dilema, eu não fazia ideia de como resolvê-lo. Pela primeira vez, não foram zumbis ou aranhas ou o próprio Herobrine que nos atrapalhara, mas uma questão muito mais interna.

Valeria a morte de Steve?

— Vamos esperar — pediu João, sem conseguir formular as palavras direito.

— Não, não dá para esperar! Precisamos acabar com isso logo!

Victor estava irredutível. Entrou no laboratório, aproximou de mim e me encarou.

— Faça! Atire logo o míssil!

— Não! — João se aproximou meio mancando, meio se arrastando.

— Eu já sei. Calma.

Peter foi até os computadores, digitou alguma coisa que eu não vi e ligou quatro câmeras em quatro monitores na parede. De repente, a luta de Herobrine e Steve estava ali, sendo transmitida por diferentes ângulos.

— Vamos esperar. Se Steve estiver vencendo, a gente espera. Se ele for morrer, a gente atira.

— É a melhor coisa, pessoal — concordei com Peter.

Eu não queria apertar o botão, não queria ser responsável pela morte de Steve. Mas... mesmo que não apertasse, a culpa também seria minha. Não adiantava tentar escapar dessa. O ideal, então, era torcer para ele vencer!

Steve arremessou a espada em direção a Herobrine, que arregalou os olhos. Era só uma distração! Uau! Maravilha! Ele flanqueou o irmão maligno, acertou um chute na costela dele e desandou a dar socos e socos e mais socos, até que agarrou o braço de Herobrine e rodopiou com ele no ar, até arremessá-lo em direção às arvores, que foram abrindo passagem para a queda por causa da força do arremesso.

— Gente! — falei quando percebi que não era só isso.

Steve criou uma bola de fogo com as mãos e a jogou onde Herobrine havia caído. Uma, duas, três, cinco, dez, vinte, impossível acompanhar a velocidade.

As árvores queimavam e o fogo se alastrava pelo resto da floresta. Um preço triste, mas necessário a se pagar. Steve esticou o braço esquerdo para frente, na

altura do ombro. Com o braço direito, fez o movimento de um arqueiro.

— Ele vai atirar uma flecha?! — perguntou João.

Quando Steve finalizou o movimento segurando uma flecha imaginária, um arco gigante de fogo surgiu ao seu lado, vinte vezes maior que a própria criatura. Só a flecha parecia ser quase do tamanho do corredor pelo qual havíamos entrado no prédio.

Ele atirou.

— UAAAAAU! A gente não vai precisar de bomba nenhuma!

Peter pulava de um lado para o outro, chacoalhando o corpo.

A flecha cruzou o espaço entre os dois irmãos com tanta velocidade, que eu só a vi ser disparada, e de repente, a explosão que causou e a fumaça que surgiu a seguir. Não consegui acompanhar seu deslocamento.

Steve não parecia relaxado, estava em posição de combate, movendo seu arco de chamas, como se procurasse o alvo.

Ao meu lado, Peter não calava a boca, mas ninguém tinha saco para pedir que o fizesse. Sua voz irritante era o menor dos problemas. Já era para Herobrine estar morto, mas eu duvidava com todas as minhas forças que isso aconteceria. Por que Steve não relaxava? Ele sentia! Tenho certeza! E deveria sentir muito mais que eu, que João. A ligação dos dois era umbilical.

Steve olhou para cima, seu arco o seguiu. Quando ele retesou o braço para disparar, um raio o atingiu.

Outro raio.

Três raios ao mesmo tempo. Cinco raios. Quatro deles seguravam os membros do irmão e um acertava seu coração em cheio. Das nuvens recém-formadas, a criatura descia, dona de todo o tempo do mundo, de cabeça baixa, tentando esconder o

brilho dos olhos com a mão. Ele falhava. A luz era tão forte e poderosa, que vazava pelos pequenos buracos entre os dedos.

Naquele momento, eu soube que Steve perderia a luta.

Talvez tenha sido só eu, talvez não. Fato é que quando Herobrine abriu os olhos e a claridade consumiu todo o ambiente, ninguém mais teve dúvida, nem mesmo Peter.

— Vou disparar! — gritei.

A bomba precisava ser ativada o mais rápido possível, enquanto Steve ainda o mantinha lá.

— Dispare — disse Victor.

Hesitei. Eu sabia que precisava atirar, mas… matar Steve? Um tornado de dúvidas me sugou naquele momento: eu, eu, eu…

João me empurrou e apertou o botão.

Puxou-me pela camisa e me levou para o *bunker* por uma porta ali mesmo no laboratório. Passamos por uma, por duas, por três portas, acessadas por corredores que desciam, com paredes reforçadas.

Victor fechou a entrada, ativou o código de segurança e, de repente, estávamos trancados e supostamente protegidos daquela bomba da qual não sabíamos direito a potência.

PAC E MIKE

E mesmo dentro do *bunker*, a explosão ressoou como o fim do mundo.

Mal sabíamos nós que o mundo já havia tido seu fim.

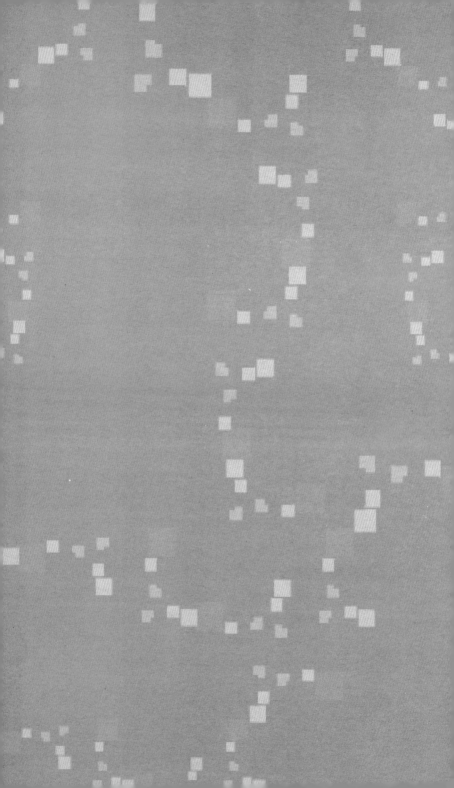

— Será que já podemos sair? — perguntei.

A bomba explodira havia alguns minutos, e desde então, tudo permanecera em silêncio. O único monitor dentro do *bunker* não funcionava. Peter me olhou com cara de quem não tem ideia do que fazer, e João, cansado e machucado, balançou a cabeça. Também não tinha resposta. Sobrou para Victor.

— Vamos. O que havia para acontecer já aconteceu — levantou-se. — Peter, ajude João a se levantar. Felipe, venha comigo na frente.

— Vocês... — João tentou falar —, nós... Herobrine... ele...

— Sim, se ele estiver vivo, nós vamos morrer.

PAC E MIKE

Não era só mais a minha imunidade a Herobrine que havia acabado, mas a de todos, já que nós quatro havíamos sido responsáveis pela bomba. Empunhei a espada e acompanhei Victor, que abriu a porta.

Passamos por dois corredores; nenhuma criatura apareceu. Nenhum som que não fosse o de fios desencapados, pedras caindo e paredes ruindo. Boa parte de tudo estava destruído; era possível ver o céu de dentro do prédio, pois parte do teto havia desabado.

— CUIDADO! — gritou Victor.

Peter se jogou no chão junto com João, e logo depois um pedaço caiu onde eles estavam havia alguns segundos.

— Precisamos sair daqui logo — comentei.

Ajudei Peter a carregar João e apertamos o passo. O corredor que levava para a entrada do prédio estava bloqueado. Andamos mais um pouco e pude ver onde, havia alguns minutos, existia uma enorme e linda floresta.

Só o pó.

O lugar parecia ter sido sempre um areal, sem nenhum tipo de planta ou vida animal.

— Dá para descer por ali.

Victor apontou para uma escada construída no morro, que estava à mostra, porque parte da parede havia sido destruída.

— Ela vai nos levar lá para baixo. Melhor que ficar aqui e ser esmagado.

Achamos a saída, e pouco a pouco descemos a escada. João não falava uma palavra; o único som que reproduzia era de uma tosse seca. Franzi os lábios; sentia muito pelo meu amigo, ele não merecia isso. Devia estar sentindo uma dor absurda, mas não abria a boca nem para reclamar.

Quando chegamos ao fim da escada, afastamo-nos um pouco da beirada. E se aquele prédio caísse? Melhor prevenir. Ajudei João a deitar-se. Victor me chamou um pouco para longe.

— O que vamos fazer? — perguntou.

— Não faço ideia. Não sei direito onde estamos.

— Não conseguiremos ir muito longe com João assim. Só que também não dá para ficar aqui, a gente não sabe se... tudo acabou. Mesmo que *ele* tenha morrido, e as criaturas?

— A gente precisa achar um local seguro.

— Sim. E rápido. As nuvens estão indo embora, o sol não está no pico. No máximo, duas ou três horas para escurecer.

Concordei com a cabeça. Coloquei a mão no ombro de Victor.

— Você salvou João, Victor.

— Nós salvamos, Felipe.

Foi uma das poucas vezes que vi Victor dessa maneira; diferente daquele machão que havia apanhado na balada, ou daquele bonzão que se achava melhor que todos; havia

PAC E MIKE

muito mais de João nele, de alguém que compreende tudo que acontece e tem compaixão pelos amigos.

— Agora, tire essa bosta de mão do meu ombro — completou.

É... Calma, não dava para mudar tanto assim, também.

— Gne... gnt.... ats d vcsss... — Peter balbuciava.

— O quê? — perguntei — Fale mais alto!

— Atrás de vocês!

Herobrine tentava se colocar de joelhos. Ele estava ferido, longe do ser poderoso e grandioso que era. Levantava-se aos poucos, com cuidado, como se estivesse aprendendo a andar. Ele não emitia nenhum brilho, nada. Seus olhos eram pretos, um buraco na existência. Herobrine colocou o pé direito no chão.

Era ele! Ele! Meu Deus! Ele estava vivo! Vivo! Enquanto eu estava em choque, sem reação alguma, Victor passou correndo por mim empunhando a espada.

— NÃO!

Quando Herobrine fincou os dois pés no chão, abriu os braços e seu corpo explodiu em brilho. Fechei os olhos para me proteger, mas senti que a energia estava, sim, forte, mas muito abaixo de tudo que eu já havia enfrentando.

Era ele. Mas estava muito mais fraco!

Corri para pegar minha espada, a luz já havia diminuído, e quando cessou por completo, pude ver Victor

lutando de igual para igual com Herobrine, que não atacava, apenas se esquivava dos golpes de espada.

— Peter, ajude!

Não me voltei para saber se ele acudiria. Eu precisava ajudar Victor, e assim fiz. Eu e ele, lado a lado, atacando Herobrine. Os olhos do monstro ainda brilhavam, mas se antes pareciam dois potentes refletores, agora poderiam ser comparados a duas lanternas fracas.

Se antes eu só via riso e deboche em seu rosto, dessa vez pude ver medo e preocupação. Ainda assim, ele continuava rápido; um erro e um de nós pagaria. Quem errasse primeiro poderia perder aquela luta.

Golpeei à esquerda, ele desviou para a direita e viu a espada de Victor cortando o ar em direção à sua cabeça. Cambaleou para trás; avancei com a espada esticada na altura do seu coração, em um ataque reto, para perfurá-lo.

Ele se esquivou para a esquerda, para longe de mim e de Victor.

Filho da...

PETER! Peter estava lá, e acertou o braço de Herobrine, que urrou. Ele estava encurralado! Peter ergueu a espada para se defender até que eu e Victor nos aproximássemos. Formamos um triângulo. A criatura estava no meio, e aos poucos, diminuíamos a diferença entre nós e ele.

— AGORA! — gritou Victor.

Todos atacamos juntos. Herobrine saltou e fugiu do golpe por cima, caiu nas costas de Victor e acertou-lhe um chute que lançou nosso melhor espadachim no chão, quase caindo de cara na minha espada.

O próximo foi Peter, que levou um chute na costela e deslizou três metros à frente.

Eu me posicionei como achei que era melhor. Segurei a espada firme, quase na diagonal. Eu não ia atacar. Não ia. Se fizesse isso, estava ferrado! Ele andou em minha direção, lento como sempre que queria me dar medo; lento como em meus pesadelos, lento como

todas as vezes que eu o recordara. E aquele sorriso voltou, aquele sorriso junto com aquela lentidão, aqueles olhos brilhantes, não, não, não!

Ataquei; fui consumido por toda a raiva e a fúria; e enquanto atacava, eu me lembrei de meus pais, de meu professor, de João, Victor, Peter.

Ia acertá-lo na cabeça!

Ele sumiu.

Não sei o que senti primeiro: o chão sob meus pés ou o chute em minhas costas, seguido de algum osso que deve ter se quebrado, porque a dor invadiu meu corpo de uma forma que nunca imaginei ser possível.

Caí de boca na terra. Por maior que fosse a dor, eram maiores a adrenalina e a certeza de que se eu não levantasse imediatamente todos morreriam. Coloquei-me em pé. Ele estava de costas, desviando dos golpes de Victor.

Peguei minha espada com as duas mãos, aproximei-me pelas costas e preparei um ataque horizontal, na altura da cintura. Victor me viu, e por ele ter colocado os olhos em mim — imagino eu —, Herobrine percebeu que alguém chegava por trás e saltou, de novo, por cima de nós.

Por pouco não cortei a barriga de Victor, que se afastou para trás.

Voltei-me, e quando pude ver, Herobrine estava com as palmas das mãos abertas, apontando para mim e para Victor. Sua mão brilhou e ele disparou dois raios.

Sem tempo para desviar.

Só senti o impacto de Peter pulando em nossas costas para nos derrubar. Caímos; senti o joelho de Victor em minhas costas. Ele acertou onde Herobrine havia chutado. Mas, pelo menos, salvou-nos do raio.

— Veja, ele... ele está cansado — sussurrou Peter.

Eu e Victor levantamos a cabeça e percebemos que ele estava encurvado. Aqueles dois raios deviam ter custado muito de sua energia.

Levantei-me e olhei para João, que estava em pé alguns metros atrás. Com o polegar, ele fez um sinal de positivo e disse, sem som, só com os lábios: "ATAQUE". Não sei o que ele tinha em mente, mas dei a ordem para os outros dois, e aos poucos, aproximamo-nos e cercamos Herobrine.

Formação em triângulo mais uma vez. Herobrine parecia rir da nossa tentativa, devia ter certeza de que escaparia de novo. E eu concordava com ele. Talvez João tivesse combinado algo com Victor ou com Peter, não sei. Segui as ordens, confiava nele. Mas suspeitava que, mais uma vez, eu levaria um chute nas costas.

Se isso acontecesse, tinha certeza de que não levantaria de novo.

A espada estava em riste; não só a minha. Victor atacou primeiro. Herobrine se esquivou para a direita, de onde vinha um golpe de Peter. Ele desviou para frente. Deu de cara comigo, e empurrei a espada em sua direção.

Como esperado, ele saltou. Maldito!

Eu já sentia a dor nas costas quando ouvi o disparo. Ouvi o som de algo caindo no chão.

Quando me voltei para trás, vi João segurando o arco, e logo em seguida, Herobrine caído com uma flecha no coração, agonizando. Seus olhos brancos mudavam de cor; ele parecia sofrer uma mutação, uma transformação.

A criatura se colocou em pé.

— Impossível! — falei.

Victor passou a mão no rosto, aterrorizado. Se ele havia sobrevivido a isso... Procurei Peter; quando o achei, ele estava pasmo. De pasma, sua expressão mudou para algo que eu nunca havia visto nele. Determinação? Coragem? Ele fechou a cara e correu, passou por Victor, passou por mim, empunhou a espada e castigou Herobrine, que urrou.

Peter continuou a dar golpes, mais e mais vezes; parecia ter perdido o controle de si mesmo. Já não sabia se Herobrine estava consciente. De repente, o clarão de sempre invadiu meus olhos.

E quando eu consegui enxergar, Herobrine havia sumido.

Mantivemos a posição por mais alguns segundos. Ele poderia aparecer a qualquer instante.

Não apareceu.

Nem nos primeiros segundos, nem nos primeiros minutos.

A criatura havia desaparecido.

— Ele morreu? — perguntou João.

Sem resposta, quem poderia ter certeza? Talvez sim, talvez Peter tivesse acabado de matá-lo. Talvez ele tivesse sido aprisionado. Não sei.

Nem Herobrine, nem Steve deram sinal de vida.

Os dois irmãos poderiam muito bem estar mortos. Seria o melhor para todos nós, para toda a humanidade. Ou, ao menos, para aqueles que haviam sobrevivido a tudo isso.

O silêncio só foi interrompido alguns minutos depois. Helicópteros do exército apareceram. Dezenas de soldados surgiram para fazer vistoria no local. Um homem que parecia bastante importante desceu. Atrás dele, a última pessoa que eu imaginaria encontrar naquele momento.

— Vocês salvaram o mundo! — disse Mary Jane.

Ninguém, nem mesmo Peter, acreditou.

EPÍLOGO

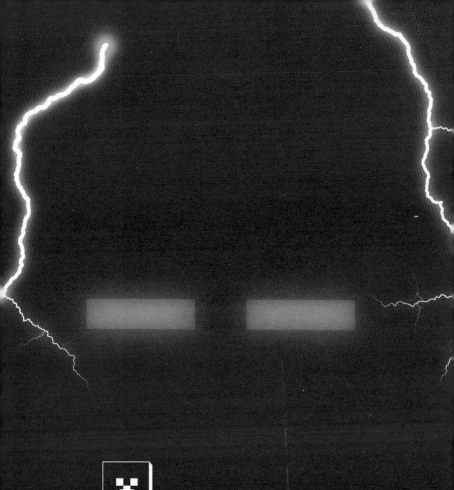

A criatura estava no fim do mundo; seus olhos mal brilhavam, seus joelhos já não aguentavam mantê-la em pé, suas mãos tremiam como tantas outras mãos que ela fizera tremer. Ela sabia que lhe restava pouco tempo de vida e que seu império não se completaria nesta existência. Sabia que sua forma conhecida estava morta; ela passaria a ser um espírito que vagaria por Mine, uma fumaça que confundiria outros olhos, um fantasma que se esconderia na penumbra.

Abriu mão de todo poder ou glória. Sabia que, por ora, não se sentaria no trono. Sabia, também, que o mundo Mine não seria o mesmo depois de sua passagem. Levaria anos para que todos superassem o terror, a destruição, o medo que a criatura libertara. Isso se superassem, caso os próprios humanos não terminassem o trabalho que ela havia começado.

Ela estava em um lugar desprendido do resto da existência: o piso era bege, cheio de torres roxas espalhadas. Estava no fim do mundo, e lá caminhou até uma fonte que lhe mostraria a parte do mundo que desejasse.

Na água violeta daquela fonte, um helicóptero verde apareceu. A visão adentrou o veículo, e nele, a criatura pôde ver dois homens pilotando, dois soldados comuns, um coronel, uma menina e os quatro adolescentes responsáveis por deixá-la em tal estado, semimorta.

A criatura não era mais o ser invencível e onipotente que massacrara o mundo nos últimos anos. Mas isso não signifi cava, de maneira alguma, que era fraca. A criatura assumiu sua última forma antes da morte.

A criatura era falha, tinha partes do corpo em decompo sição, expelia um gás branco com certo brilho. Mesmo em seu último estado, era forte e terrível, mais perigosa que nunca para os quatro adolescentes, pois já não buscava poder.

A única coisa que a criatura buscava era vingança.

E ela começaria de imediato. Levantou os braços, e usando a pouca energia que ainda tinha, direcionou um raio para o helicóptero, que caiu..

INFORMAÇÕES SOBRE A
GERAÇÃO EDITORIAL

Para saber mais sobre os títulos e autores
da **GERAÇÃO EDITORIAL**,
visite o *site* www.geracaoeditorial.com.br
e curta as nossas redes sociais.

Além de informações sobre os próximos lançamentos,
você terá acesso a conteúdos exclusivos
e poderá participar de promoções e sorteios.

🏠 geracaoeditorial.com.br

📘 /geracaoeditorial

🐦 @geracaobooks

📷 @geracaoeditorial

Se quiser receber informações por *e-mail*,
basta se cadastrar diretamente no nosso *site*
ou enviar uma mensagem para
imprensa@geracaoeditorial.com.br

GERAÇÃO EDITORIAL

Rua João Pereira, 81 – Lapa
CEP: 05074-070 – São Paulo – SP
Telefone: (+ 55 11) 3256-4444
E-mail: geracaoeditorial@geracaoeditorial.com.br